COLLECTION FOLIO

Élisa Shua Dusapin

Hiver à Sokcho

Gallimard

L'auteur remercie l'écrivain Noëlle Revaz
et l'éditeur Alain Berset pour leurs précieuses critiques.

© *Éditions Zoé, 11 rue des Moraines*
CH-1227 Carouge-Genève, 2016.

Née en 1992 d'un père français et d'une mère sud-coréenne, Élisa Shua Dusapin est diplômée de l'Institut littéraire suisse de Bienne. Son premier roman, *Hiver à Sokcho*, a notamment reçu le prix Robert Walser et le prix Révélation SGDL en 2016. *Les billes du Pachinko* a paru en 2018 aux Éditions Zoé.

Il est arrivé perdu dans un manteau de laine. Sa valise à mes pieds, il a retiré son bonnet. Visage occidental. Yeux sombres. Cheveux peignés sur le côté. Son regard m'a traversée sans me voir. L'air ennuyé, il a demandé en anglais s'il pouvait rester quelques jours, le temps de trouver autre chose. Je lui ai donné un formulaire. Il m'a tendu son passeport pour que je le remplisse moi-même. Yan Kerrand, 1968, de Granville. Un Français. Il avait l'air plus jeune sur la photo, le visage moins creux. Je lui ai désigné mon crayon pour qu'il signe, il a sorti une plume de son manteau. Pendant que je l'enregistrais, il a retiré ses gants, les a posés sur le comptoir, a détaillé la poussière, la statuette de chat fixée au-dessus de l'ordinateur. Pour la première fois je ressentais le besoin de me justifier. Je n'étais pas responsable de la décrépitude de cet endroit. J'y travaillais depuis un mois seulement.

Il y avait deux bâtiments. Dans le premier, réception, cuisine, salle commune, deux étages de chambres en enfilade. Couloirs orange et verts, ampoules bleuâtres. Le vieux Park appartenait à cette époque d'après-guerre où les clients s'appâtaient comme les calamars : à coups de guirlandes clignotantes. Quand j'étais aux fourneaux les jours clairs, j'apercevais la plage se dérouler jusqu'aux monts Ulsan gonflés vers le ciel comme des seins de matrone. Le second bâtiment, à quelques ruelles du premier, avait été rénové de façon traditionnelle, sur pilotis, pour faciliter le chauffage au sol et rendre habitables les deux chambres aux parois de papier. Dans la cour intérieure, une fontaine gelée, un châtaignier nu. Aucun guide touristique ne mentionnait l'établissement du vieux Park. On y échouait par hasard après avoir trop bu, ou manqué le dernier bus.

L'ordinateur a planté. Pendant qu'il haletait, j'ai donné au Français les renseignements sur le quotidien de la pension. D'habitude le vieux Park s'en chargeait. Ce jour-là, il était absent. Petit-déjeuner de cinq à dix heures dans la cuisine attenante à la réception, derrière la baie vitrée. Toasts, beurre, confiture, café, thé, jus d'orange et lait offerts. Fruits et yaourts, mille wons à déposer dans le panier sur le grille-pain. Mettre le linge dans la machine au fond du couloir au rez-de-chaussée, je me chargeais de la lessive. Code du wifi : ilovesokcho, tout lié sans majuscules. La supérette ouverte vingt-quatre heures sur vingt-quatre, cinquante mètres en bas de la rue. Bus à gauche après la supérette. Réserve naturelle de Seoraksan, à une heure de là, ouverte jusqu'au coucher du soleil. Prévoir de bonnes chaussures à cause de la neige. Sokcho, une destination balnéaire. Qu'il soit prévenu, il n'y avait pas grand-chose à faire en hiver.

Les clients étaient rares à cette période. Un alpiniste japonais et une fille d'à peu près mon âge, échappée de la capitale pour se remettre d'une opération esthétique du visage. Elle était là depuis deux semaines, son petit ami venait de la rejoindre pour dix jours. Je les avais tous logés dans la maison principale. Depuis le décès de la femme de Park l'an passé, la pension fonctionnait au ralenti. Park avait vidé les chambres du premier étage. En comptant la mienne et celle de Park, toutes étaient prises. Le Français dormirait dans l'annexe.

Il faisait nuit. Nous nous sommes engagés dans une ruelle jusqu'à l'échoppe de la mère Kim. Ses boulettes au porc exhalaient un mélange d'ail et d'égout, dont la bouche régurgitait les effluves trois mètres plus loin. Les plaques de glace craquaient sous notre poids. Néons blafards. Après avoir traversé une deuxième ruelle, nous sommes arrivés au portique.

Kerrand a fait coulisser la porte. Peinture rose,

miroir en plastique imitation baroque, bureau, couverture violette. Ses cheveux frôlaient le plafond, il ne pouvait pas faire plus de deux pas du mur au lit. Je lui avais attribué la plus petite chambre pour m'épargner du ménage. La salle de bains commune se trouvait de l'autre côté de la cour mais un auvent parcourait la maison, il pourrait rester au sec. De toute façon, cela ne le dérangeait pas. Il a scruté les imperfections du papier peint, posé sa valise, m'a donné cinq mille wons que j'ai voulu lui rendre. Il a insisté d'un ton las.

En retournant à la réception, j'ai fait un détour par le marché de poissons pour chercher les restes que ma mère me mettait de côté. J'ai traversé les allées jusqu'à l'étal quarante-deux sans prêter attention aux regards levés sur mon passage. Vingt-trois ans après que mon père avait séduit ma mère puis était reparti sans laisser de traces, mon métissage français restait source de commérages.

Ma mère, trop fardée comme toujours, m'a tendu un sac de bébés poulpes :

— On n'a que ça en ce moment. Il te reste de la pâte de piment ?

— Oui.

— Je vais t'en donner.

— Pas la peine, j'en ai encore.

— Pourquoi tu ne l'utilises pas ?

— Je l'utilise !

Dans un bruit de succion, elle a enfilé ses gants de caoutchouc jaune et m'a dévisagée, suspicieuse. J'avais maigri. Le vieux Park ne me laissait pas le temps de manger, elle allait lui parler. J'ai protesté. Depuis que je travaillais j'engloutissais des toasts chaque matin et des litres de café au lait, je n'avais sûrement pas maigri. Le vieux Park avait mis du temps à s'habituer à ma cuisine mais il me laissait maîtresse des repas de la pension.

Les poulpes étaient minuscules. Je pouvais en prendre une dizaine par poignée. Je les ai triés, puis caramélisés avec des échalotes, de la sauce soja, du sucre et de la pâte de piment diluée dans de l'eau. J'ai réduit le gaz pour qu'ils ne s'assèchent pas. Une fois la sauce suffisamment condensée, j'ai ajouté du sésame et la pâte de riz gluant, le tteok, en rondelles de la taille d'un pouce. Je me suis mise à couper des carottes. Dans leur reflet sur la lame, les rainures végétales se confondaient curieusement avec la chair de mes doigts.

Un courant d'air a refroidi la pièce. En me retournant, j'ai vu Kerrand entrer. Il voulait un verre d'eau. Il a bu en observant mon plan de travail comme un tableau qu'on ne comprend pas. Déconcentrée, je me suis entaillé la paume. Le sang a moussé sur les carottes, durci en croûte brunâtre. Kerrand a sorti un mouchoir de sa poche. Il s'est approché pour l'appliquer sur ma plaie.

— Il faut faire attention.

— Je n'ai pas fait exprès.

— Heureusement.

Il a souri, sa main pressée contre la mienne. Je me suis dégagée, mal à l'aise. Il a désigné la poêle.

— C'est pour ce soir ?

— Oui, à dix-neuf heures, dans la salle à côté.

— Il y a du sang.

Constat, dégoût, ironie. Je n'ai pas compris la nature de son ton. Entre-temps, il était ressorti.

Il n'est pas venu manger.

Accroupie dans la cuisine, le menton enfoncé dans le cou, ma mère avait les bras plongés dans un seau. Elle mélangeait du foie de poisson, du poireau et des vermicelles de patate douce pour en fourrer des seiches. Son boudin était réputé pour être l'un des meilleurs de la ville.

— Regarde comme je pétris. Que la farce se répartisse.

Je l'écoutais à peine. Le jus giclait du seau, stagnait autour de nos bottes, avant de couler vers l'égouttoir au centre de la pièce. Ma mère vivait au port dans un appartement réservé aux poissonniers, au-dessus des hangars de déchargement. Bruyant. Pas cher. Celui de mon enfance. J'allais la voir du dimanche soir au lundi, mon jour de congé. Depuis mon départ, elle supportait mal de dormir seule.

Me donnant une seiche pour que je la farcisse à mon tour, ma mère a posé son gant maculé de foie sur mes hanches et soupiré :

— Une si jolie femme, pas encore mariée…

— Jun-oh doit d'abord trouver du travail. On a le temps.

— On croit toujours qu'on a le temps.

— Je n'ai même pas vingt-cinq ans.

— Justement.

J'ai promis que les fiançailles se concrétiseraient, ce n'était qu'une question de mois. Ma mère s'est remise à la tâche, rassurée.

Cette nuit-là, dans les draps humides, écrasée par sa tête posée sur mon ventre, je sentais sa poitrine se soulever, se rabaisser au rythme de son corps endormi. Je m'étais habituée à dormir seule à la pension. À présent, les ronflements de ma mère me dérangeaient. Je comptais les gouttes de salive qui s'échappaient une à une, de ses lèvres entrouvertes sur mon flanc.

Le lendemain je suis allée marcher sur la plage qui longeait Sokcho. J'aimais ce littoral, même griffé par les barbelés électrifiés. La Corée du Nord n'était qu'à soixante kilomètres, au nord. Une silhouette raclée par le vent s'est découpée vers la rade en chantier. J'ai pensé au nom dans le passeport. Yan Kerrand. Il avançait dans ma direction. Jailli d'un tas de filets, un chien s'est mis à le suivre en reniflant son pantalon. Un ouvrier l'a rappelé. Kerrand s'était arrêté pour le caresser, il a lancé quelque chose comme « that's ok ! », mais l'homme a rattaché l'animal, alors il s'est remis à marcher.

Quand il est arrivé à ma hauteur, je lui ai emboîté le pas.

— C'est beau ce paysage hivernal, a-t-il crié dans une rafale, désignant la plage d'un geste du bras.

Il devait mentir mais j'ai souri. Vers l'embarcadère, les cargos poussaient des cris de métal.

— Vous travaillez depuis longtemps ici ?

— Depuis la fin de mes études.

Une bourrasque a fait glisser son bonnet.

— Vous pouvez parler plus fort ? a-t-il demandé en le plaquant contre ses oreilles.

Je ne voyais plus qu'une mince bande de son visage. Plutôt que de hausser la voix, je me suis rapprochée de lui. Il voulait savoir ce que j'avais étudié. Littérature coréenne et française.

— Vous parlez français alors.

— Pas vraiment.

En réalité, mon français était meilleur que l'anglais que nous parlions entre nous mais j'étais intimidée. Heureusement, il s'est contenté de hocher la tête. J'allais lui dire pour mon père, me suis retenue. Il n'avait pas à savoir.

— Vous savez où je peux trouver de l'encre et du papier ?

La papeterie de Sokcho était fermée en janvier. Je lui ai indiqué le chemin du supermarché le plus proche.

— Vous m'accompagnez ?

— Je n'ai pas beaucoup de temps…

Il m'a scrutée sous ses sourcils.

J'ai accepté.

Nous sommes passés par une plaine de béton. S'élevait au centre une tour panoramique d'où giclaient les gémissements d'un chanteur de K-Pop. En ville, les tenanciers des restaurants, bottes jaunes, casquettes vertes, gesticulaient devant leurs aquariums pour nous attirer. Kerrand semblait marcher dans les rues de Sokcho sans se sentir concerné par les crabes ni les ventouses collées aux vitres.

— Qu'est-ce que vous venez faire à Sokcho en hiver ?

— J'ai besoin de calme.

— Vous avez choisi la bonne ville, ai-je rigolé.

Il est resté de marbre. Peut-être l'ennuyais-je. Mais, me suis-je dit, je n'avais pas à me sentir coupable de son humeur, ni à combler les silences. Il m'avait demandé un service, je ne lui devais rien. Un chien au poil rare s'est traîné vers lui.

— Les chiens vous apprécient.

Kerrand l'a doucement repoussé.

— C'est parce que je porte les mêmes habits depuis une semaine. Ils puent autant qu'eux.

— Je vous ai dit que je faisais la lessive…

— Je ne voulais pas que vous mettiez du sang sur mes vêtements.

S'il faisait de l'humour, il m'était inaccessible. Je trouvais qu'il sentait bon. Un mélange de gingembre et d'encens.

Au Lotte Mart, il a saisi une plume, l'a tournée, retournée, reposée, puis il a déchiré l'emballage des blocs de papier pour les humer. J'ai vérifié qu'il n'y ait pas de caméra au-dessus de nous. Kerrand a effleuré les différentes sortes de feuilles. Les plus rugueuses semblaient lui plaire. Il les a fait crisser, les a approchées de sa

bouche et du bout de la langue, a goûté l'extré-
mité d'une feuille. Satisfait, il est parti vers un
autre rayon. J'ai caché derrière des classeurs les
blocs qu'il avait déchirés. Quand je l'ai rejoint, il
n'avait pas trouvé ce qu'il voulait. De l'encre en
pot, pas des cartouches. J'ai sollicité le caissier
qui en a ramené deux sortes de la remise. L'une
du Japon, l'autre de Corée. Kerrand a refusé la
japonaise, elle séchait trop vite, il voulait tester
la coréenne. Ce n'était pas possible. Kerrand a
relevé la tête. Renouvelé sa demande. Le caissier s'est agacé. J'ai insisté en coréen jusqu'à ce
qu'il cède. Kerrand a tracé quelques lignes dans
un carnet de toile sorti de son manteau. Finale-
ment, il a acheté l'encre japonaise.

À l'arrêt de bus nous étions seuls.

— Alors vous êtes français.

— De Normandie.

J'ai baissé le menton en signe d'entendement.

— Vous connaissez ? a-t-il demandé.

— J'ai lu Maupassant…

Il s'est tourné vers moi.

— Vous la voyez comment ?

J'ai réfléchi.

— Belle… Un peu triste.

— Ma Normandie n'est plus celle de Maupassant.

— Peut-être. Mais c'est comme Sokcho.

Kerrand n'a pas répondu. Il ne connaîtrait
jamais Sokcho comme moi. On ne pouvait pas

prétendre la connaître sans y être né, sans y vivre l'hiver, les odeurs, le poulpe. La solitude.

— Vous lisez beaucoup ? a-t-il demandé.

— Oui avant mes études. Avant je lisais avec le cœur. Maintenant, avec le cerveau.

Il a hoché la tête, resserré les mains sur son paquet.

— Et vous ?

— Si je lis ?

— Ce que vous faites dans la vie.

— De la bande dessinée.

Le mot « comics » sonnait faux dans sa bouche. Je me suis imaginé des Salons, des files de lecteurs. Peut-être était-il connu. Je ne lisais pas de bande dessinée.

— Votre histoire se passe ici ?

— Je ne sais pas encore. Peut-être.

— Vous êtes en vacances ?

— Dans mon métier, on n'a jamais de vacances.

Il est monté dans le bus. Nous nous sommes assis à la fenêtre, de chaque côté du couloir. La lumière avait baissé. Kerrand se reflétait dans la vitre, son paquet sur les genoux. Il avait fermé les yeux. Le nez se détachait comme une équerre. Des lèvres étroites naissait un delta de lignes qui deviendraient des rides. Il s'était rasé. En remontant à ses yeux, j'ai réalisé que lui aussi me regardait dans le reflet de sa vitre. Du même regard qu'à son arrivée à la pension, cet air avenant mêlé d'ennui. J'ai baissé la tête.

Le haut-parleur a annoncé notre station. Avant de prendre la ruelle de l'annexe, Kerrand m'a effleuré l'épaule :

— Merci pour cet après-midi.

Ce soir-là encore, il n'est pas venu manger. Enhardie par notre promenade, je lui ai apporté un plateau moins pimenté que pour les autres pensionnaires.

Voûtée sur le bord du lit, sa silhouette se découpait à contre-jour sur la paroi de papier. La porte n'était pas complètement fermée. En collant ma joue contre l'embrasure, j'ai vu sa main courir sur une feuille. Il l'avait posée sur un carton, sur ses genoux. Entre ses doigts, le crayon cherchait son chemin, avançait, reculait, hésitait, reprenait son investigation. La mine n'avait pas encore touché le papier. Lorsque Kerrand a commencé à dessiner, son trait était irrégulier. Il reprenait les lignes plusieurs fois, comme pour les effacer, les corriger, mais chaque pression les gravait. Le sujet, méconnaissable. Un branchage, un tas de ferraille peut-être. J'ai fini par reconnaître l'amorce d'un œil. Un œil noir sous une chevelure brouillonne. Le crayon a poursuivi sa route jusqu'à ce qu'apparaisse une figure féminine. Des yeux un peu trop grands, une bouche minuscule. Elle était belle, il aurait dû s'arrêter là. Mais il a continué à passer sur les traits, tordant peu à peu les lèvres, déformant le menton, perforant le regard, a remplacé le crayon par une plume et de l'encre pour en badigeonner le papier avec une lente détermination, jusqu'à ce que la femme ne soit plus qu'une pâte noire, difforme. Il l'a posée sur le bureau. L'encre dégoulinait jusqu'au plancher. Une araignée s'est mise à courir sur sa jambe, il ne l'a pas chassée. Il contemplait son œuvre. D'un geste machinal, il a déchiré un coin de la feuille. S'est mis à le mâchonner.

J'ai eu peur qu'il me surprenne. En silence, j'ai déposé le plateau et je suis partie.

Allongée sur mon lit, je tournais les pages d'un livre, distraite. Jun-oh est entré. Des reflets chocolat dans les cheveux. Il était allé chez le coiffeur.

— Tu aurais pu frapper.

Park lui avait ouvert. Il a enlevé ses chaussures. La neige fondait sous les semelles.

— Laisse-les dehors.

Il a dit qu'il repartait si je continuais ainsi. Cela m'était égal. S'il restait, qu'il les laisse dehors. Il s'est exécuté en grognant, avant de s'asseoir à côté de moi et de me demander ce que je lisais. J'ai incliné la couverture du livre. Il a écarté mon bras pour soulever mon pull. Mes seins se sont tendus. Sa main, glacée, plongée dans ma chair. Il ne le disait pas mais je sentais qu'il me jugeait, comparait, pesait, mesurait. Je l'ai repoussé. Jun-oh a soupiré. Puis il m'a tendu son téléphone pour me montrer le site d'une agence de mannequins à Gangnam. Il partait dans deux jours pour un entretien. Il s'est levé, s'est scruté dans le miroir, a dit qu'on lui épargnerait probablement la chirurgie mais au besoin, il était prêt à se refaire le nez, le menton et les yeux. Il s'est retourné vers moi. En ce moment d'ailleurs, les cliniques faisaient des soldes, cela valait la peine que je me renseigne, il me ramènerait des catalogues de visages. Il a ausculté l'arrière de son oreille droite. Selon lui, on pouvait toujours s'améliorer. Surtout moi si j'espérais travailler plus tard à Séoul. Quoique dans les lettres, le physique comptait moins. Enfin, tout dépendait des postes. Il s'est rassis, une main sur ma cuisse. Je portais une robe-pull, j'avais retiré mes collants. Il a fait glisser son doigt sur ma cicatrice, longue, fine trace d'une chute sur un crochet de pêche quand j'étais enfant. J'ai reposé brusquement mon livre.

— D'accord. Dis-moi comment tu veux que je sois.

Il a ri. Pourquoi cette agressivité ? Il me trouvait parfaite. Il a replacé une mèche de mes cheveux derrière mon oreille et s'est couché, une jambe par-dessus les miennes, pour m'embrasser. Je n'ai pas ouvert mes lèvres pour sa langue. Il s'est plaint que je n'avais jamais envie, on n'allait pas se voir pendant des jours. J'ai dit qu'il me manquerait mais que j'avais beaucoup à faire à la pension, le temps passerait vite. Jun-oh est parti en claquant la porte, précisant toutefois que je pouvais dormir chez lui le lendemain si je le voulais.

Neuf heures et demie du matin. Je faisais la vaisselle du petit-déjeuner. Le couple est arrivé dans des pyjamas identiques, rose pour elle, gris pour lui. Les gestes fatigués, elle s'est servi un café. Ses pansements lui faisaient une figure de panda. Elle a mangé un yaourt du bout de la cuillère. Lui, des toasts à la confiture de kaki. Ils sont restés un moment à table, chacun face à son téléphone, le wifi était plus rapide que dans leur chambre. L'alpiniste mangeait à cinq heures trente avant de partir à la montagne. Café noir, quatre tranches de pain nature, une banane coupée dans la longueur, tartinée de beurre.

À travers la vitre qui séparait la cuisine de la réception, j'ai vu Kerrand entrer. Il s'est adressé au vieux Park qui m'a appelée, embêté, il ne parlait pas bien anglais. J'ai laissé la vaisselle dans l'évier, essuyé mes mains, attendu que la buée sur mes lunettes s'estompe pour les rejoindre. Il était question d'une excursion à la frontière

27

de la Corée du Nord. J'ai expliqué à Kerrand qu'un bus pouvait le mener seulement jusqu'au poste de contrôle des véhicules, l'observatoire dans le no man's land n'était accessible qu'avec sa propre voiture. Kerrand a voulu en louer une. Park a appelé l'agence. Il fallait un permis international. Kerrand ne l'avait pas. Tout de même, a-t-il insisté, il avait le permis français. Park était désolé. J'ai proposé de conduire moi-même. Ils m'ont dévisagée, surpris. Park était d'accord, à condition que les chambres soient faites.

— On peut y aller un autre jour si vous préférez, a dit Kerrand.

Il a été convenu que nous irions lundi. J'ai demandé à Kerrand s'il avait mangé car je rangerais bientôt. Il n'avait pas faim, il partait faire un tour.

Profitant de son absence, je suis allée faire le ménage dans l'annexe. Le plateau gisait où je l'avais laissé, intact. Kerrand l'avait vu puisqu'il avait dû l'enjamber pour venir à la réception. Il aurait pu le ramener. Au moins me remercier. Je me suis dit qu'il ne méritait pas que je lui donne de mon temps pour le conduire à la frontière.

Tamisée par le rideau, la lumière réchauffait les teintes de sa chambre. Je revoyais l'encre noire le long du bureau. Il avait dû frotter la tache avec un chiffon, elle était estompée. Dans un encensoir serpentait un filet de fumée. À côté, un paquet d'encens du temple de Naksan. La valise était posée dans un coin de la pièce. Vu sa taille, il ne devait guère pouvoir y mettre plus que deux, trois tenues de rechange. Je l'ai entrouverte. Vêtements bien pliés, de l'encre, des pinceaux enveloppés dans de la soie sauvage, un livre. Dans un cartable, les blocs de papier qu'il avait achetés avec moi, vierges. Craignant qu'il revienne avant que j'aie terminé, je me suis mise à frotter le sol avec un détergent. L'encre partait mais il en resterait des traces. J'ai vidé la poubelle d'un paquet de Dunkin Donut et de l'emballage d'un cheese-cake de Paris Baguette. Avant de m'en aller, j'ai vérifié que j'avais bien refermé la valise.

Sur le palier du bâtiment principal, le couple se préparait à sortir. Il la tenait par la taille, elle s'accrochait à lui, juchée sur des talons qui lui donnaient une démarche d'autruche. Il m'a demandé de nettoyer leur chambre avant leur retour dans l'après-midi. Je l'ai fait en vitesse. Changer les draps, aérer. Dans leur poubelle, deux préservatifs, le carton d'une crème de nuit pour le visage, des épluchures de mandarines.

Jun-Oh dormait encore, son dos contre mon ventre. Du bout du doigt, je traçais la ligne de ses épaules. Le réveil a sonné. Il l'a éteint en grommelant. Son haleine sentait le soju. Nous avions trop bu, ma tête était lourde. Mon étreinte, pas réelle. Il a saisi son Polaroid au bas du lit et m'a cadrée dans le viseur, il voulait emporter une image de moi. J'ai caché mon visage sous les draps. Il a pris la photo. Quand je me suis retournée, il serrait la boucle de sa ceinture. Il avait perdu du poids, du muscle. En boutonnant sa chemise, il a pincé les lèvres. Comme un enfant, ai-je pensé, agacée. Quand il est revenu de la salle de bains, il m'a embrassée sur le front, avant d'empoigner son sac et de quitter la chambre en me laissant ses clés que je lui rendrais à son retour de la capitale.

J'ai attendu que le bruit de ses pas dans l'escalier disparaisse pour me lever. Il avait oublié la photo sur le lit. Je l'ai retournée. Les couleurs n'étaient pas tout à fait développées encore. Format portrait. Mes reins au premier plan s'éloignaient vers un désert de côtes et d'omoplates. Saillantes, ai-je constaté, surprise. Après quoi j'ai pensé que je ne me voyais jamais de dos, c'était normal que je ne me reconnaisse pas. Je me suis habillée à la hâte sans me doucher.

Jun-oh vivait dans un studio au centre-ville, assez loin de la pension. J'avais le temps de rentrer à pied. Un rayon de soleil faisait baver la neige sur le sable. J'ai imaginé une silhouette d'homme comme l'autre jour, courbée dans un manteau de laine comme un saule dans le vent.

J'étais seule.

À mon retour, il s'est mis à pleuvoir. Park avait l'habitude de protéger les meubles extérieurs avec une bâche entreposée sur la terrasse du toit. Je suis allée la chercher. La trappe était ouverte. Kerrand, à la balustrade, sous un parapluie. Il m'a saluée d'un signe de tête avant de retourner à sa contemplation de la ville.

— On dirait un monde Playmobil, a-t-il dit alors que je m'apprêtais à redescendre, la bâche dans les bras.

— Pardon ?

— Ces petits bonshommes colorés...

— Je sais ce que sont les Playmobil.

— Quand on achète une boîte, il y a toujours des accessoires, des petits bâtiments aux toits colorés. Sokcho me fait penser à ça.

Je n'avais jamais vraiment observé Sokcho. Ce n'était pas une ville pour cela. J'ai rejoint Kerrand. Devant nous, un magma de tôle orange et bleue, les restes du cinéma calciné. Plus loin, le port, le marché de poissons. J'ai pensé à ma mère là-bas. Kerrand m'observait de biais. Il m'a remerciée pour le ménage. J'ai hoché la tête sans vraiment le regarder non plus.

Il avait payé pour la demi-pension mais ne venait jamais manger. Il ne devait pas aimer la nourriture coréenne. La veille, je lui avais dit que je ferais des pâtes à la crème, une recette française. Il n'était pas venu, ni Park ni les autres pensionnaires n'avaient aimé les pâtes, et j'avais encore trouvé des emballages de pâtisseries dans sa chambre. J'avais décidé de ne plus faire d'effort pour un étranger qui n'avait pas le goût local. Mais son dessin se tortillait dans ma tête.

Je suis restée un moment suspendue.

— On va toujours à la frontière lundi ? a-t-il demandé.

— Oui.

Un peu frustrée, je me suis tournée vers lui. Restait-il sur le toit encore longtemps ? Sinon je fermais à clé. Il restait encore.

J'ai décidé d'aller aux jjimjilbangs. Cela faisait longtemps que je n'avais pas mijoté dans un bain de soufre, cela me ferait du bien. Je me suis râpée longuement avec une brosse en sanglier pour désincruster sébum et cellules mortes des pieds, des jambes, des fesses, du ventre, des bras, des épaules et des seins qui constituaient mon corps, avant de plonger dans l'eau brûlante jusqu'à ce que la peau fonde sur une masse de muscles et de graisse aussi rosâtre que ma cicatrice sur la cuisse.

Le vent rabattait les nuages sur le bitume. Déclin du jour. De chaque côté de la route, des carcasses de villages. Cartons, plastiques, tôles bleues. La province de Gangwon avait été oubliée de l'urbanisation du pays après la guerre. J'ai demandé à Kerrand d'accélérer sans quoi nous arriverions trop tard pour la visite. Je lui traduisais les panneaux indicateurs. Au moment de monter dans la voiture, je lui avais donné les clés. Je détestais conduire, n'avais jamais eu l'intention de le faire pour lui. Il s'en était réjoui.

Au poste de contrôle des véhicules, un militaire plus jeune que moi nous a fait remplir des papiers. Dans un haut-parleur, les consignes, en boucle. Interdiction de photographier. Interdiction de filmer. Interdiction de s'écarter du parcours balisé. Interdiction de hausser la voix. Interdiction de rire. J'ai rendu les papiers au garçon. Il a salué la nation, et le grillage s'est ouvert sur le no man's land. Du beige et du gris à perte de vue. Roseaux. Marécages. Un arbre parfois. Il fallait rouler deux kilomètres pour atteindre l'observatoire. Un convoi armé nous a escortés avant de bifurquer. Nous étions seuls sur la route. Elle s'est mise à serpenter entre des fosses remplies de neige. Soudain Kerrand a enfoncé son pied sur le frein, me projetant contre le pare-brise.

— J'ai cru qu'elle traversait, a-t-il soufflé, les mains serrées sur le volant.

Sur le rebord de la route, une femme. Courbée sous une veste rose. Kerrand lui a fait signe qu'elle pouvait traverser. Elle n'a pas bougé, les mains croisées dans le dos. Il a redémarré avec prudence. Dans le rétroviseur, je l'ai vue avancer sur nos traces. Elle nous a suivis du regard jusqu'à ce que nous disparaissions dans un virage. Le chauffage asséchait ma gorge.

Sur le parking de l'observatoire, le vent a fait claquer nos manteaux contre nos jambes. Une odeur d'huile froide se dégageait d'une caravane à tteok. Kerrand a enfoncé les mains dans ses poches, son carnet dépassait de celle de droite. Nous avons gravi la colline jusqu'à l'observatoire. Une rangée de jumelles. Pour cinq cents wons, il était possible d'observer la Corée du Nord. J'ai glissé une pièce. Le givre collait nos paupières sur le pourtour en métal. À droite, l'océan. À gauche, la barrière de montagnes. Devant, le brouillard. Nous ne pouvions pas en espérer plus par ce temps. Nous sommes redescendus sur le parking.

La vendeuse de friture parlait avec la femme croisée plus tôt. Sitôt qu'elle m'a reconnue, elle s'est pendue à ma gorge pour caresser ma joue d'une main rêche. Je me suis libérée brusquement. Elle a couiné. J'ai saisi le bras de Kerrand, il m'a entouré les épaules avec calme.

— Qu'est-ce qu'elle dit ?

— Qu'on est des enfants de Dieu... Elle me trouve jolie.

La vendeuse m'a désigné un beignet qui flottait dans la casserole. En infiltrant ses pores, l'huile expulsait l'air par petites bulles. J'ai fait non de la tête, sans énergie. L'autre gémissait encore. Kerrand m'a attirée à la voiture.

Une fois à l'intérieur, j'ai calé mes jambes contre la ventilation, frotté mes mains entre mes cuisses. Je ne me réchauffais pas. Nous avons pris la direction du musée. C'était la fin de l'après-midi, je n'avais rien mangé depuis la veille. J'ai grignoté miette par miette un Choco Pie dont l'emballage pourpre avait explosé au fond de mon sac.

— Vous êtes venue quand la dernière fois ? a demandé Kerrand.

— C'est la première fois.

— Vous n'êtes jamais venue, je veux dire, par solidarité ?

— Pleurer derrière ces jumelles, quelle solidarité.

— Ce n'est pas ce que je voulais dire.

— Seuls les touristes viennent ici.

Kerrand n'a plus fait de commentaire. À l'entrée du musée, dans un box aseptisé, un visage de femme a approché son orifice buccal du micro. « Five thousand wons. »

— Pour deux personnes ? ai-je demandé.

Les yeux globuleux se sont relevés avec lenteur. « Yes, for two people. » Kerrand a remercié. J'ai ravalé l'humiliation qu'on ne m'ait pas répondu dans ma langue devant lui. Le parcours nous a été indiqué d'une main de latex.

Tout était trop. Grand, froid, vide. Le claquement de nos chaussures résonnait sur les dalles de marbre. Kerrand déambulait mains dans les poches, l'air détaché. Il a fini par s'arrêter devant un présentoir de casques en cuir et m'a demandé de lui traduire un écriteau.

Il résumait le conflit qui avait opposé dès 1950 les deux Corées, soutenues au Nord par les Soviétiques et la Chine, au Sud par les États-Unis et l'ONU, jusqu'à la signature de l'armistice le 27 juillet 1953 et la création de cette frontière sur le trente-huitième parallèle, la plus militarisée au monde, au milieu d'un no man's land de deux cent trente-huit kilomètres de long, quatre de large. En trois ans, deux à quatre millions de morts, civils et militaires confondus. Aucun traité de paix n'avait jamais été signé.

Kerrand m'écoutait avec concentration, tête baissée, une main sur le front pour retenir ses cheveux. Quant à moi, la seule vitrine qui avait retenu mon attention renfermait des chaussures d'écoliers du Nord et des Choco Pie à l'emballage bleu. Si la séparation n'avait pas eu lieu, j'aurais mangé un Choco Pie à l'emballage bleu, non pourpre. Ceux dans la vitrine étaient-ils originaux ? Y avait-il encore un gâteau à l'intérieur ou les avait-on fabriqués pour le musée ?

J'ai regardé l'heure sur mon téléphone. Le bout de mon doigt avait blanchi. Je l'ai palpé sans rien ressentir. Dix minutes plus tard le sang ne revenait pas. Je l'ai signalé à Kerrand. Il a pris ma main dans la sienne, chaude, et dit que ce n'était pas normal que j'aie si froid. J'avais toujours froid. Il a secoué la tête, mis ma main dans sa poche.

La dernière salle du musée reconstituait un camp de militaires. Au fond de la pièce, des statues d'hommes en cire, couchés sur de la paille. La salle faisait également office de boutique à souvenirs. On pouvait acheter des alcools de Pyongyang, des dessins d'enfants, des badges à l'effigie des dictateurs du Nord. Derrière un comptoir, un mannequin de femme regardait devant lui dans un uniforme gris. Je m'en suis approchée. Battement de paupières. C'était vivant.

Une vendeuse. J'ai tenté de saisir son regard. Ni mouvement de lèvre, ni haussement de sourcil.

J'ai dit à Kerrand que je voulais m'en aller.

Au retour nous sommes restés silencieux. Sous le martèlement de la pluie, la mer se redressait en épines d'oursin. Kerrand conduisait de la main gauche, l'autre sur la boîte de vitesses, frôlant mon genou. Ses gants, posés sur le carnet entre nous. Des restes d'encre ombrageaient ses ongles. Troublée, je veillais à rester près de la portière. L'inclinaison du siège rendait ma position inconfortable.

Ce soir-là encore, je l'ai épié par sa porte entrouverte. Il semblait plus vieux, courbé à son bureau. Il avait griffonné un buste de femme cambrée, seins nus, pieds à demi cachés par la courbe d'une fesse. Elle se roulait sur un futon. Il a tracé un parquet, les détails du futon, comme pour l'éviter elle, mais son corps sans visage réclamait la vie. Le décor au crayon terminé, il a pris la plume pour lui donner des yeux. La femme s'est assise. Droite. Les cheveux tirés en arrière. Le menton attendait sa bouche. La respiration de Kerrand s'est accélérée au rythme de son coup de plume, jusqu'à ce que sur la feuille, des dents très blanches explosent de rire. Une voix trop basse pour une femme. Kerrand a fait couler toute l'encre du pot, la femme a titubé, cherché à crier encore, mais le noir s'est glissé entre ses lèvres jusqu'à ce qu'elle disparaisse.

Le moteur de recherche coréen n'avait aucune information sous « Yan Kerrand ». En revanche, google.fr m'a permis de découvrir des extraits de ses bandes dessinées. Il signait « Yan ». L'ultime et dixième tome de sa série la plus connue sortirait dans le courant de l'année suivante. À travers les commentaires des lecteurs et des critiques, j'ai compris qu'il s'agissait de l'histoire d'un archéologue qui parcourait le monde. Chaque album, un autre endroit, un voyage dans un lavis d'encre sans couleurs. Peu de mots, pas de dialogues. Un homme solitaire. Frappante, sa ressemblance physique avec l'auteur. Ses contours se détachaient bien nets quand les autres personnages n'apparaissaient souvent qu'en ombres. Parfois beaucoup plus grand qu'eux, géant pataud, ou minuscule au contraire, seul le héros avait des traits distincts. Les autres s'effaçaient derrière les détails d'une chaise, d'un caillou, d'une feuille. Une photo de presse montrait Kerrand à la réception d'un prix. Il affichait un sourire embarrassé. L'accompagnait une rousse presque aussi grande que lui, visage carré, coupe courte. Une attachée de presse ? Son épouse ? Ils n'allaient pas bien ensemble. J'ai pensé qu'un homme marié ne partirait pas pour un voyage à la date de retour indéterminée. Elle ne ressemblait pas à celle qu'il dessinait quand je l'observais le soir, aux contours plus doux.

Une froide lumière baignait ma chambre. J'ai ouvert la fenêtre. Une fois bien réveillée, je l'ai refermée. J'ai enfilé un pull, changé d'avis, remplacé le pull par une tunique en acrylique. Je me suis examinée dans le miroir. J'ai retiré la tunique. Mes cheveux se sont dressés. J'ai léché ma paume pour les rabattre sur mon crâne, j'ai remis le pull.

Dans la cuisine, le garçon, débraillé, a dit que sa copine dormait encore, elle ne viendrait pas petit-déjeuner. Le Japonais ne s'était pas présenté non plus. Kerrand, j'avais renoncé à l'attendre. Désœuvrée, j'ai bu un café au lait avec beaucoup de lait.

Mon téléphone a sonné. Jun-oh. Il était parti depuis deux jours et son existence ne m'apparaissait plus qu'en filigrane. Il avait été retenu, il restait à Séoul plus longtemps que prévu pour une période d'essai. Il n'a pas pris de mes nouvelles mais dit que je lui manquais.

Park est arrivé, il m'a demandé de lui servir un gâteau de tteok au haricot rouge. Avait-il vu l'alpiniste ? Il a marmonné que le Japonais était reparti la veille à Tokyo, je l'aurais su si j'avais fait la chambre.

— C'était mon jour de congé, me suis-je défendue.

Il a rétorqué que j'aurais dû la faire quand même, au cas où d'autres clients se seraient présentés. Comme s'ils affluaient, ai-je persiflé intérieurement.

Derrière le comptoir, Park m'a surveillée toute la matinée d'un demi-œil. Il avait dû remarquer que je ne traitais pas le Français comme les autres pensionnaires. Kerrand était arrivé depuis bientôt deux semaines. On le voyait peu mais même absent, il laissait la porte de sa chambre ouverte. Je nettoyais avec minutie, veillant à ne pas déplacer ses affaires. Une fois ou l'autre, j'avais retrouvé des croquis de son héros. Rien de définitif, il jetait beaucoup de papier. La femme des dessins nocturnes, je la retrouvais déchiquetée dans la poubelle.

Ma mère m'avait donné rendez-vous dans l'après-midi pour m'acheter un costume traditionnel. Le Nouvel An lunaire approchait, il était temps selon elle que j'aie des vêtements de femme. Cela m'avait fait rire. Je ne portais plus de costume traditionnel pour Seollal depuis des années mais cette fois-ci ma tante, sa sœur aînée, nous rendrait visite de Séoul. Ma mère me lustrerait de son mieux.

Kerrand arrivait en face de moi dans la ruelle de la mère Kim, sa couverture dans les bras. Je n'ai pas eu le temps de le prévenir de la plaque de glace qu'il s'est effondré. J'ai accouru.

— Il fait si sombre, a-t-il grimacé en se relevant.

— C'est l'hiver…

— Oui.

— On s'habitue.

— Vraiment ?

Il s'est essuyé, le visage rougi par le froid.

— Oui, ai-je menti.

J'ai regardé autour de nous :

— Les néons, tout ça… On s'habitue.

Il a frotté ses gants l'un contre l'autre pour enlever la crasse. J'ai montré la couverture au sol :

— Vous alliez me confier votre linge ?

Sans relever mon ironie, Kerrand a ramassé la couverture. Il avait renversé de l'encre, il était désolé. Comme il semblait réellement penaud, j'ai dit que ce n'était pas grave.

— Je peux vous la donner ? a-t-il demandé, soulagé.

J'ai tendu les bras. Il a secoué la tête :

— Je ne voulais pas que vous la portiez, juste savoir si vous pouviez la laver.

— Oui, je vous ai dit.

— Je la mets dans la machine ?

— Non, pour l'encre il faut un produit spécial.

Il a baissé les épaules.

— Laissez tout dans votre chambre, je vais m'en occuper.

— C'est encombrant. Je préfère l'amener où vous voulez.

J'allais être en retard, mais j'étais plutôt contente de cet imprévu.

Dans la buanderie, j'ai dit à Kerrand que je m'étais un peu renseignée sur son travail. Il a demandé si je lisais de la bande dessinée. Peu. Mais cela m'intéressait.

— Votre dernier album sort bientôt, c'est juste ?

— Selon mon éditeur, oui.

— Problème d'inspiration ?

Il a ri à demi.

— L'inspiration n'est qu'une petite part du travail.

— Ils sont beaux vos dessins.

J'ai pensé que je ne connaissais pas les critères objectifs pour juger de ce qui était beau ou non dans une image.

— Je veux dire, j'aime vos dessins.

J'espérais qu'il ne me demande pas de décrire ce qui me charmait dans son trait, pas en anglais.

Et je n'avais pas prononcé un mot en français depuis deux ans. J'ai badigeonné la couverture de détachant, mal à l'aise de sentir Kerrand dans mon dos. Il faisait humide et chaud, je n'avais pas appliqué de déodorant sous mes aisselles. Enfin, il a quitté la buanderie. J'ai déplié le drap. La chemise qu'il portait le soir de son dessin en est tombée. Je l'ai froissée entre mes doigts, déliant son odeur captive du lin.

Sous le regard de ma mère, la vendeuse m'a fait essayer différents ensembles jusqu'à ce que nous soyons d'accord sur un rouge et jaune, couleurs de la jeunesse. Un gilet aux manches bouffantes, une jupe en soie qui commençait sous mes seins pour cacher mon corps jusqu'aux pieds. J'avais l'air obèse.

En sortant du magasin, ma mère s'est retournée vers la vitrine pour détailler une blouse rose aux broderies dorées.

— Comment tu la trouves ? m'a-t-elle demandé.

J'ai ri. Elle a pincé les lèvres, baissé la tête. J'ai tenté de me rattraper en disant que j'avais ri pour rien, elle n'avait qu'à essayer, d'ailleurs cela faisait longtemps qu'elle ne s'était pas acheté de vêtements. Réajustant son sac à main sur l'épaule, elle a rétorqué que ce n'était pas son style.

Je voyais rarement ma mère sans son uniforme plastifié de poissonnière. Elle portait ce jour-là un pantalon de velours, des chaussures de marche, avait enserré ses cheveux dans un bandana qui jurait avec son rouge à lèvres. Elle marchait en soutenant son diaphragme, la respiration saccadée. Face à mon air inquiet, elle a dit que ce n'était rien, une toute petite douleur. L'humidité sûrement. J'ai voulu qu'elle prenne rendez-vous chez le médecin.

— Arrête de t'inquiéter. Viens ! On sort manger. Pour une fois que je peux partager du temps avec toi.

Je l'ai suivie à contrecœur.

Dans une baraque à l'entrée du port, elle a commandé une galette aux légumes et fruits de mer, et du makgeolli de campagne, la bière de riz non filtrée. Je soupesais les quantités que je mettais à ma bouche.

— C'est bien, les couleurs de ta robe, a dit ma mère. Tu pourras la réutiliser à ton mariage. Tu feras attention à ce que ton corps ne change pas pour pouvoir la remettre.

J'ai commencé à mâcher plus vite, brassant mon bol de makgeolli du bout de mes baguettes. Boire en longues rasades. Que l'alcool tapisse mon œsophage de son épaisse blancheur avant de tomber au fond de mon estomac. Ma mère racontait le marché, l'arrivage en retard. Il n'y avait que du poulpe alors qu'elle avait besoin de fugu pour le menu de Seollal dans une semaine. Bientôt je ne l'ai plus écoutée, je mangeais, buvais sans plus de contrôle.

Les tripes du fugu renferment du poison mortel. Mais crue, sa chair translucide permet de réaliser de véritables œuvres d'art. En tant que seule poissonnière de la ville à posséder la licence qui lui permettait d'en cuisiner, ma mère en préparait chaque fois qu'elle voulait briller.

J'ai toussé. Du makgeolli a coulé sur mon manteau. Sans s'arrêter de parler, ma mère m'a essuyée avec le papier qu'elle venait d'utiliser pour absorber l'huile autour de ses lèvres. La tache a commencé à sentir le lait caillé. Ma mère a rempli mon bol. J'avais la nausée. J'ai bu, mangé encore. Je mangeais toujours à outrance devant elle. Ravie, elle a recommandé une galette.

— Tu es si belle quand tu manges, ma fille.

J'ai dégluti avec difficulté, refoulant mes larmes au fond de ma gorge. Péniblement, j'ai marché jusqu'à la pension, le ventre tendu par mon gavage.

Il était de coutume de passer Seollal en famille. Manger une soupe au tteok avant de se rendre au cimetière pour déposer des boulettes de riz sur la tombe des aïeuls. Ma mère comptait sur moi. Je m'étais arrangée avec Park, je cuisinerais le tteokguk à l'avance, il n'aurait plus qu'à le réchauffer pour lui, la fille aux bandages, et Kerrand s'il daignait manger de mon plat.

Depuis le retour du garçon à Séoul, la fille passait son temps dans sa chambre. Je retrouvais ses vêtements enchevêtrés sur le lit avec des magazines de psychologie, rubrique tests consciencieusement remplie. De temps en temps j'en faisais un aussi, pour comparer. Êtes-vous plutôt chien ou chat ? Elle était entre les deux, moi j'étais chat. Parfois elle venait regarder la télévision dans la salle commune, un drama, un film chinois ou de Hong Kong. Une couche de bandages en moins sur le visage. Ses traits n'en étaient pas plus visibles.

Les préparatifs de Seollal rendaient Sokcho pompeuse. Des guirlandes de lumière avaient été installées le long de la rue centrale jusqu'à l'arc de triomphe en métal bleu clair, fraîchement orné d'un dauphin gonflable qui brandissait, goguenard, entre ses nageoires, le panneau « Rodeo Street ».

En faisant des achats au supermarché, je me suis arrêtée au rayon manhwa et mangas. Il n'était pas fourni. Aucune œuvre occidentale. J'ai farfouillé au hasard jusqu'à tomber sur l'un des rares manhwa que j'avais lus et appréciés. L'histoire d'une mère et de sa fille dans la Corée ancestrale. Un dessin net, chamarré, très différent de celui de Kerrand. Je l'ai acheté.

Kerrand feuilletait le *Korea Times* dans la salle commune. Me voyant arriver, il a refermé le journal. Je lui ai tendu le manhwa.

— C'est en coréen, mais il y a peu de dialogues…

Il a parcouru les cases avec son index, comme un enfant qui apprend à lire. Après une dizaine de pages il a relevé les yeux. Il avait faim. Voulais-je dîner avec lui ? Décontenancée, je n'ai pas répondu. Comme il attendait ma réponse, j'ai fini par dire que je ferais un ragoût de radis. Kerrand préférait sortir. Il me vexait. Mais j'ai proposé une maison de poisson le long de la côte.

Les restaurateurs tendaient des bâches devant leurs baraques pour les protéger du vent. La clientèle, des vieillards. Leurs cris se mêlaient à la vapeur des soupes, à l'odeur du kimchi, le chou fermenté au piment. Ici une maison de pieuvre, là de crabe ou poisson cru. Kerrand secouait la tête, prétextant le bruit, l'odeur, le manque de place. Il avait besoin de calme. Il fallait pourtant choisir, il n'y avait plus rien après l'embarcadère, à part le Dunkin Donut. Il a fini par désigner une échoppe que je ne connaissais pas, à l'écart des autres, la plus calme.

Sous une bâche, trois tables. Chaises en plastique rouge. Un garçon a collé un sac-poubelle en guise de nappe, puis nous a donné deux verres d'eau chaude. Nous étions dans un courant d'air. Kerrand s'est raidi. Voulait-il aller ailleurs ? Il a dit que non, c'était parfait. Le garçon est revenu avec une carte simplifiée en anglais. Ce n'était pas nécessaire, je pouvais lire le coréen écrit sur le mur. Sans m'écouter, il a posé la carte.

— Lequel de vos parents est français ? a demandé Kerrand.

Je l'ai regardé, stupéfaite.

— J'ai demandé au gérant de la pension. Simple curiosité.

— Il vous a dit quoi ?

— Rien dont je ne me doutais pas. Que vous étiez franco-coréenne. Et parliez français parfaitement.

— Monsieur Park n'en sait rien, il ne comprend pas le français.

J'ai précisé que ma mère était d'ici. La seule chose que je savais de mon père était qu'il travaillait dans l'ingénierie de la pêche lorsqu'il l'avait rencontrée. Le garçon est venu prendre commande. Du poisson grillé, une bouteille de soju. Kerrand m'observait avec attention. Je l'évitais en étudiant la cuisine au fond de la salle. Carrelage, terre battue, claquement de couteaux, gargouillis de bouillon sur le feu. J'ai tripoté mes baguettes. Kerrand s'est rapproché de la table.

— Votre coupure s'est bien refermée.

— Ce n'était pas profond.

Je devais faire attention au mouvement de mes jambes pour ne pas toucher les siennes. Le garçon est revenu avec l'alcool, le poisson, du kimchi et de la salade de pomme de terre. Kerrand en a pris une cuillerée.

— De la mayonnaise. L'américanisation jusqu'ici…

— La mayonnaise vient de France, pas des États-Unis.

Il a relevé la tête, amusé. Nous avons mangé un moment sans rien dire. Kerrand tenait mal ses baguettes. Je l'ai corrigé. Après deux bouchées, il a retrouvé sa position initiale. Je n'ai plus osé le reprendre. Comme il ne parlait pas, je lui ai demandé ce qu'il faisait de ses journées. Il partait marcher, découvrir le lieu, chercher des idées. Avait-il voyagé dans tous les endroits qu'il dessinait pour son héros ? Oui pour la plupart. C'était la première fois qu'il venait en Corée.

— Le dernier album se passera à Sokcho, ai-je déduit.

— Vous m'avez déjà posé la question.

— C'était il y a deux semaines. Vous ne saviez pas encore.

— Vous pensez que Sokcho serait un bon endroit pour une histoire ? a-t-il demandé.

J'ai dit que cela dépendait de l'histoire. Kerrand s'est penché sur la table, comme pour me confier un secret.

— Si ça se passe ici vous m'aiderez ?

— Comment ?

— Me faire découvrir des choses.

— Il n'y a rien à faire à Sokcho.

— Je pense que si.

J'ai bu quelques gorgées de soju. Mes joues devenaient chaudes. Le temps de réfléchir, j'ai demandé d'où lui venait sa passion pour le dessin. Il ne savait pas exactement. Il avait toujours lu de la bande dessinée. Enfant, il recopiait ses cases préférées des heures durant, cela venait peut-être de là.

— Vous avez réalisé votre rêve ?

— La seule chose dont je suis sûr, c'est que jamais je n'aurais imaginé arriver là où je suis maintenant.

Il s'est détourné pour retirer une arête coincée dans sa bouche. Après quoi il a reposé la question. Étais-je d'accord de l'aider s'il avait besoin de moi ?

— Sinon vous repartez ?

— C'est ce que vous voulez ?

— Non.

Il a souri. Pourrais-je le voir dessiner une fois ? Il a bu une gorgée de soju avant de répondre :

— Comme vous voulez.

Certaines intonations signifient « je préfère que non », d'autres « c'est vraiment comme vous voulez ». Je n'ai pas compris la sienne. J'ai haï cette intonation.

Une température de moins vingt-sept degrés a submergé la ville durant la nuit. Ce n'était pas arrivé depuis des années. En boule sous la couverture, je soufflais sur mes mains, les frottais entre mes cuisses. Dehors, sous les assauts du gel, les vagues tentaient de résister mais toujours plus lourdes et lentes, elles se craquelaient, avant de s'écraser sur le rivage, vaincues. Je n'ai trouvé le sommeil qu'en m'emmitouflant dans mon manteau.

Au matin, les radiateurs de ma chambre et de celle qu'avait occupée le Japonais ne fonctionnaient plus, l'eau avait gelé dans les conduits. En attendant qu'il les fasse réparer, Park m'autorisait à prendre le chauffage d'appoint de la réception, il allumerait le poêle. Je lui ai rappelé que ce poêle datait des années cinquante, il était inutilisable. J'avais déjà essayé. De toute façon, les remontées d'égouts rendaient ma chambre suffocante. J'ai proposé d'emménager dans la deuxième pièce de l'annexe. Park a soupiré. Plus rien ne fonctionnait dans cette baraque. Nous n'avions pas le choix.

La mère Kim tentait de rallumer sa cuisinière. En me voyant chargée de vêtements et de ma trousse de toilette, elle s'est appuyée contre le comptoir dans un geste désespéré. On ne pouvait qu'attendre. Pourvu que cela ne dure pas trop longtemps. Son congélateur fonctionnait un jour sur deux, ce n'était pas bon pour la viande. Déjà que les clients se faisaient rares.

Kerrand était à son bureau. Nous n'étions séparés que par une mince paroi de papier. Il a proposé de m'aider à déménager. Ce n'était pas la peine, j'avais tout apporté.

Dans la salle de bains, il faisait s'égoutter des pinceaux. Une traînée d'encre et de savon coulait du bout de leurs poils, aspirée par le trou du lavabo. Dans un gobelet, sa brosse à dents, du dentifrice français. Je m'en suis servie. Il avait mauvais goût, produit de vaisselle et caramel. J'ai remodelé le tube pour que Kerrand ne voie pas que je l'avais utilisé. Des chaussettes mouillées étaient étendues sur le dossier d'une chaise. Depuis l'épisode de la buanderie, il ne me donnait plus à laver que des vêtements immaculés. J'ai fait couler un bain, me suis déshabillée. L'eau était trop chaude. J'ai attendu sur la chaise, mes lunettes couvertes de buée. Je ne les supportais plus. D'ailleurs je me suis fait la réflexion que je ne les mettrais plus en présence de Kerrand. Mes lunettes rapetissaient mes yeux. Je ressemblais à un rat.

Dans l'eau, je me suis amusée à flotter le plus horizontalement possible à la surface sans faire sortir la chair à l'air libre. Toujours, un bout de ventre, de sein ou de genou finissait par dépasser.

Quand je suis ressortie de la salle de bains, Kerrand attendait derrière la porte, une serviette

à la main. Il avait retiré son pull. Sous sa chemise en lin, sa peau, en transparence. Ses yeux
ont effleuré, à peine, mes seins sous ma chemise
de nuit, sont descendus sur mes jambes avant
de remonter très vite. Je me suis souvenue avec
dégoût qu'ainsi, ma cicatrice était entièrement
dévoilée. Il m'a souhaité bonne nuit avant de
s'enfermer dans un geste un peu précipité.

Plus tard depuis mon lit, j'ai entendu le grat-
tement de la plume. Je me suis collée contre la
paroi. Cela rongeait, démangeait. Me dérangeait
presque. Ce n'était pas continu. J'imaginais les
doigts de Kerrand s'animer en pattes d'araignée,
son regard se relever, détailler la modèle, retomber sur le papier, se relever encore, s'assurer que
l'encre ne trahirait pas la vision, vérifier que le
temps qu'il trace le trait, la femme ne s'enfuirait
pas. Je la voyais vêtue d'un morceau de tissu du
buste à la naissance des cuisses, lever le menton,
un bras contre le mur, et l'appeler, câline, arro-
gante. Mais face à la peur comme les autres fois,
il verserait l'encre pour qu'elle s'évanouisse.
Le bruit de la plume s'est fait continu, lent
comme une berceuse. Avant de m'endormir,
j'ai essayé de retenir les images qu'il avait fait
naître en moi, de ne pas les oublier, car je savais
qu'elles auraient disparu quand je pénétrerais
dans sa chambre le lendemain.

Sclérosée par le froid, la pension ne me donnait pas grand-chose à faire. Après la vaisselle du petit-déjeuner, je suis restée près de Park à la réception. Il regardait la télévision. À l'abri de son regard, j'ai parcouru dans les journaux la liste d'emplois à pourvoir à Sokcho. Contremaître de chantier naval, marin, plongeur, promeneur de chiens. Sur internet, j'ai lu des résumés des histoires de Kerrand, m'envolant pour l'Égypte, le Pérou, le Tibet, l'Italie, avec son héros. En comparant le prix des billets d'avion pour la France, j'ai calculé combien de temps je devrais travailler ici avant de pouvoir partir, même si je savais que je ne le ferais pas. Au-dessus de l'ordinateur, le chat japonais agitait la patte. Toujours ce sourire fatigant. Dire qu'au début je le trouvais mignon.

Un coléoptère a grimpé le long du bureau. Il s'est arrêté devant mes dossiers administratifs. Rescapé de l'hiver, il avait dû se cacher à l'intérieur avant les premiers gels. Je l'ai saisi délicatement. Ses pattes se sont mises à bouger dans le vide, on aurait dit qu'il m'implorait sous ses longues antennes. Je l'ai retourné pour voir son ventre. Joli. Tout lisse. Tout bombé. Park m'a dit de l'écraser, mais je ne voulais pas lui faire de mal. Je ne tuais jamais les coléoptères de cette espèce-là. Je les jetais par la fenêtre pour qu'ils meurent dehors eux-mêmes.

En début de soirée, j'ai rejoint ma mère aux jjimjilbangs. Elle m'attendait nue dans les vestiaires, avec deux canettes de lait à la fraise, un masque à l'œuf sur les cheveux. Dans la salle d'eau, assise sur un tabouret, j'ai frotté son dos, elle a frotté le mien.

— Tu as encore maigri. Il faut que tu manges.

Mes mains se sont mises à trembler. Quand elle faisait ce genre de remarque j'avais envie d'éclater mon corps contre un mur.

Trois femmes barbotaient autour de nous, des ventouses roses collées sur les omoplates. La plus jeune avait mon âge mais des seins déjà tombants. J'ai considéré les miens. Fermes comme deux louches retournées. Rassurée, j'ai rejoint ma mère dans le bassin au soufre. Elle avait emballé ses cheveux dans un sac en plastique qui lui donnait l'air, dans la vapeur, d'un champignon fumigène. Sa poitrine se relevait par à-coups. J'ai insisté pour qu'elle prenne rendez-vous chez le médecin. Elle a fait un geste agacé de la main.

— Raconte plutôt la pension.

J'ai parlé de la fille aux bandages.

— Si tu veux aussi te faire opérer, a dit ma mère, j'ai un peu d'économies.

— Tu me trouves laide à ce point.

— Ne sois pas idiote, je suis ta mère. Mais la chirurgie t'aiderait peut-être à trouver un meilleur emploi. C'est comme ça, à Séoul, il paraît.

Par provocation j'ai dit que je ne comptais pas changer de travail. La pension me faisait rencontrer des gens. Il y avait un dessinateur, j'aimais ce qu'il faisait. J'ai tu sa nationalité française.

J'ignorais quels étaient les passe-temps de ma mère depuis que j'étais partie. J'ai essayé de me remémorer ce que nous faisions quand j'étais enfant. La télévision. La plage. Nous voyions peu de monde. Quand j'étais à l'école primaire, elle venait me chercher après les cours mais ne s'attardait jamais avec les autres mères. Mes camarades avaient commencé à me demander pourquoi je n'avais pas de père. Dès que j'avais eu l'âge de prendre le bus, j'étais rentrée seule.

De retour dans les vestiaires, nous avons enfilé un pyjama pour nous rendre dans la salle mixte. Allongées au sol, la tête relevée par de petits plots de bois, nous avons bu de la bouillie d'orge en épluchant des œufs durs. Quand il a été question de rentrer à la maison, j'ai dit qu'exceptionnellement, je devais retourner à la pension, j'avais beaucoup à faire. En fait je ne supportais plus de partager son lit. Ma mère a eu l'air triste. Cela m'a fait de la peine. Je n'ai pas changé d'avis.

Dans la ruelle de l'annexe, la mère Kim me trouvant pâle m'a offert une de ses boulettes. J'ai pensé à sa viande qui avait décongelé, recongelé. Dans la ruelle d'après, je l'ai jetée à un chien qui fouillait les poubelles.

Sur la porte de ma chambre était punaisé un mot, en français. Kerrand me demandait si je voulais bien l'accompagner à la réserve naturelle de Seoraksan le lendemain. Le lendemain, mon jour de congé. Il s'en était souvenu.

Alourdie par un redoux, la neige s'affalait dans les torrents, faisait ployer les bambous. Jour sans vent. Kerrand marchait dans mes traces, je lui avais prêté les raquettes de Park. Souvent il s'arrêtait, retirait ses gants, effleurait un tronc, un rocher sous la glace, écoutait, avant de remettre ses gants et de poursuivre l'ascension toujours plus lentement.

— L'hiver n'est pas intéressant, me suis-je impatientée. Bientôt les cerisiers vont fleurir, le bambou verdir, il faut les voir au printemps.

— Je ne serai plus là.

Il s'est arrêté encore, a regardé autour de lui.

— J'aime autant comme ça, sans artifices.

Nous sommes arrivés à la grotte, un petit temple qui abritait des sculptures de Bouddha nichées dans des alcôves. Kerrand les a parcourues avec minutie. Il voulait connaître des légendes et des contes coréens liés à la montagne. Pour son personnage. Je lui ai parlé d'une histoire que ma mère me racontait quand j'étais enfant. Celle de Tangun, le fils du roi du ciel envoyé sur la plus haute montagne de Corée pour fonder le peuple coréen en s'unissant avec une ourse. Depuis, la montagne était le symbole du pont qui reliait le ciel à la terre.

Après deux heures d'ascension, nous nous sommes reposés sur un rocher. Kerrand a rattaché ses lacets, sorti sa plume et son carnet. Il s'est mis à croquer les bambous.

— Vous l'avez toujours avec vous ? ai je demandé en montrant le carnet.

— La plupart du temps, oui.

— Vos brouillons ?

Il a plissé le front, comme agacé. Il n'aimait pas ce mot. Cela n'avait aucun sens. Une histoire se construisait à chaque instant, il n'y avait pas de dessin moins important qu'un autre.

Je commençais à me refroidir. Après un moment, je me suis penchée vers son dessin.

— On dirait des libellules.

Il a tendu le bras pour voir de plus loin.

— Effectivement. C'est raté.

— Raté ? Je les trouve belles.

Kerrand a regardé le dessin encore. Il a souri. Puis il s'est approché du précipice pour voir la vallée en contrebas, floutée par la brume. Coassement de corbeau.

— Vous avez toujours vécu à Sokcho ?

— À Séoul, le temps de mes études.

— Ce devait être bien différent d'ici.

— Pas tellement, je vivais chez ma tante, ai-je rigolé.

Kerrand m'a regardée sans comprendre. En été, ai-je repris plus sérieusement, Sokcho grouillait autant que Séoul, à cause des plages. Surtout depuis qu'on y avait tourné ce drama avec un acteur célèbre, *First love*. Des cars d'admirateurs venaient en pèlerinage. Avait-il vu la série ? Il ne l'avait pas vue.

— Pourquoi êtes-vous revenue ? a-t-il demandé.

— Ce n'est pas définitif… Monsieur Park avait besoin de quelqu'un pour la pension.

— Il n'y avait que vous ?

Décelant une pointe de moquerie, j'ai répondu sèchement que oui. En réalité, j'aurais pu prétendre à une bourse pour poursuivre mes études à l'étranger. Kerrand a voulu savoir si je comptais rester à la pension toute ma vie.

— Je voudrais venir en France un jour.

— Vous viendrez.

J'ai acquiescé sans lui avouer que je ne pourrais pas laisser ma mère. Kerrand a fait comme s'il voulait ajouter quelque chose dont il n'était pas sûr, avant de se raviser. Il m'a demandé pourquoi j'avais choisi d'étudier le français.

— Pour parler une langue que ma mère ne comprendrait pas.

Il a haussé les sourcils, eu la délicatesse de ne pas commenter. Il a sorti une mandarine de sa

poche, m'en a proposé un quartier. J'avais faim.
J'ai refusé.

— C'est comment, la France ?

Il ne pouvait pas résumer. C'était trop vaste,
trop différent. On mangeait bien. Il aimait la
lumière de la Normandie, grise, épaisse. Si je
venais un jour, il me montrerait son atelier.

— Vous n'avez jamais fait de bande dessinée
qui se passait chez vous ?

— Non.

— Sokcho est sûrement moins intéressante.

— Je ne suis pas d'accord.

— Beaucoup d'artistes ont dépeint la Normandie. Maupassant, Monet.

— Vous connaissez Monet ?

— Un peu seulement. Quand on a étudié
Maupassant, notre professeur nous a parlé de
la région.

Les yeux plissés vers les nuages, Kerrand m'a
semblé loin soudain. Nous sommes redescendus
de la montagne en traînant les pieds. Kerrand
devant moi. Quand je glissais, je me retenais
à lui.

Sur la plage devant la pension, une haenyo
triait sa pêche. Sa combinaison de plongée
fumait dans le froid. Kerrand s'est accroupi sur
un rocher, un bras au sol pour garder l'équilibre. Les vagues montaient jusqu'à nos pieds.
J'ai parlé à Kerrand de ces femmes originaires

de l'île de Jeju, capables de plonger jusqu'à dix mètres de profondeur par tous les temps, toute l'année, pour ramasser coquillages et concombres de mer.

D'une main calleuse, la haenyo s'est mise à frotter son masque avec une touffe d'algues. Je lui ai acheté un sachet de coquillages. Kerrand voulait regarder encore mais je grelottais. Il m'a suivie jusqu'au bâtiment principal. Je lui ai demandé s'il venait au repas ce soir-là, il ne viendrait pas.

J'ai servi du miyeokguk, la soupe d'algues, du riz, des gousses d'ail marinées au vinaigre, de la gelée de glands. La fille aspirait par petites cuillerées. Malgré sa difficulté à mâcher, elle avait l'air d'apprécier. Depuis que son copain était reparti, elle restait en pyjama toute la journée. Ses bandages devenaient toujours plus fins. Elle s'en irait bientôt.

J'enfilais ma chemise de nuit quand Jun-oh m'a envoyé un message. Il ne pourrait pas passer Seollal avec moi, il était désolé, le mannequinat était sans pitié mais passionnant, il avait envie de me lécher partout, de sucer mes seins, je lui manquais, il m'appellerait.

J'ai entendu Kerrand rentrer, retirer son manteau, se rendre à la salle de bains. Quand il est revenu dans sa chambre, il s'est mis à son bureau. Cette fois-ci, je suis sortie l'observer par sa porte à peine entrouverte.

Ses doigts glissaient avec timidité sur le papier. Le pinceau balbutiait sur les proportions du corps. Du visage surtout. Elle prenait un accent oriental. Il ne devait pas avoir l'habitude de représenter des femmes, j'en avais peu vu parmi ses personnages. Lentement, ses traits se sont faits plus sûrs. Elle s'est mise à tournoyer dans une robe. Tantôt maigre tantôt voluptueuse, bras étendus ou ramassés, tordue toujours, elle se modelait sous ses doigts. De temps à autre, Kerrand arrachait un morceau de feuille pour le mâchonner.

Quand je me suis étendue dans mon lit, j'ai pensé au message de Jun-oh. Cela faisait long-temps que je n'avais pas eu envie de sentir un homme en moi. J'ai glissé une main entre mes jambes et pressé doucement avant de cesser, gênée de savoir Kerrand de l'autre côté. Mais l'envie était trop forte. J'ai replacé ma main sur mon sexe déjà humide. De mon autre main, j'ai saisi ma nuque puis mes seins, imaginant un homme pour me pétrir, remplir mes hanches. J'ai caressé plus vite, plus fort, jusqu'à ce que mes cuisses vacillent, que la jouissance m'ar-rache un gémissement.

Fébrile, j'ai repris mon souffle, la main encore sur mes lèvres gonflées. Je l'ai retirée comme on retire un pansement sur une plaie ouverte.

Kerrand m'avait-il entendue ? Il m'avait forcément entendue.

Je me suis rappelé que j'avais oublié de mettre au réfrigérateur les restes du repas. Si je ne le faisais pas, tout serait perdu. Je me suis rhabillée, espérant ne pas croiser Kerrand dans le couloir.

Dehors tout était calme. Au-dessus de l'échoppe de la mère Kim, le néon a vacillé. J'ai sursauté. Une chauve-souris a balayé l'air.

L'horloge de la salle commune indiquait presque une heure du matin. Devant la télévision, la fille donnait de petits coups de langue sur la partie moelleuse d'un Choco Pie qu'elle tenait des deux mains, comme un hamster. Elle était anormalement raide, le regard non dirigé vers l'écran, mais un peu au-dessus. Elle avait coupé le son.

— Tout va bien ?

Elle a acquiescé d'un faible mouvement du visage, les yeux dans le vide. La guirlande a fait luire son bandage, le relief des cicatrices. Paupières, nez, menton. Elle s'était fait drôlement taillader. J'avais dû la déranger. Elle a quitté la pièce. Le garçon la rejoindrait pour Seollal, il avait réservé dans l'après-midi.

À mon retour dans l'annexe, la chambre de Kerrand était éteinte.

Je patientais depuis une heure déjà au centre médical. En fin de compte j'avais moi-même pris rendez-vous pour ma mère. Une infirmière est venue me dire que le médecin avait du retard, ma mère devait faire d'autres analyses. J'ai décidé d'aller marcher autour du centre.

Je venais rarement de ce côté de la ville. Chantier, baraques, ouvriers, grues, sable, béton. Et le pont où l'on avait tourné la scène culte de *First love*, celle où l'acteur traversait la berge. Avec cette barque amarrée devant moi. À l'intérieur, ours en peluche et bouquets de fleurs du dernier été. Pourris, décolorés, prisonniers du gel. Une bourrasque a ébranlé la barque. Craquement lugubre.

Plus loin, deux aquariums superposés. Dans celui du bas, des poissons à longue queue. Au-dessus, des crabes entassés comme déjà prêts pour les conserves. Sans plus de force pour se crever les yeux, ils se laissaient remuer par le jet d'eau. Toutefois l'un d'entre eux, s'arc-boutant contre un autre, a réussi à atteindre le rebord du bassin, à s'y maintenir en équilibre jusqu'à ce qu'un remous le propulse dans l'autre aquarium. Les poissons se sont mis à tourner à toute vitesse. Le crabe avait atterri à l'envers, il s'est débattu au ralenti pour tenter de se remettre sur ses pattes, sans succès. En fin de compte, il a pincé une nageoire ventrale. L'a méticuleusement déchiquetée. Séparé de son appendice, le poisson s'est remis à nager mais de travers, avant de couler au fond du bac, fou.

Au bout de la rue, l'hôtel en forme de palais indien rose et doré. Deux filles se cambraient à l'entrée. Shorts en cuir, bas troués.

Suintant l'hiver et le poisson, Sokcho attendait.

Sokcho ne faisait qu'attendre. Les touristes, les bateaux, les hommes, le retour du printemps.

Ma mère n'avait qu'un refroidissement.

Je n'avais pas prévenu Park de mon escapade à Naksan avec Kerrand. Il y était allé au début de son séjour et voulait racheter de l'encens. Nous avions deux heures à disposition avant que je doive préparer le repas du soir. Le bus longeait la côte. Depuis la nuit où je m'étais caressée, j'avais évité Kerrand. Sur le siège voisin, il était absorbé par le livre que j'avais aperçu dans sa valise.

— J'aime beaucoup cet auteur, a-t-il dit comme je lisais à la dérobée. Vous connaissez ?

— Non, j'aimerais que vous m'en lisiez un passage.

Il s'est raclé la gorge.

— Je n'aime pas lire à voix haute…

J'avais déjà fermé les yeux. Il a commencé, prenant soin d'articuler. Le texte était trop difficile. Je me suis concentrée sur les inflexions de sa voix. Une autre voix, plus lointaine. L'écho d'un corps resté de l'autre côté du monde.

Le temple était incrusté dans la falaise au-dessus des plages. Les moniales méditaient, il fallait attendre. La bruine a commencé à mouiller la terre. Puis, d'un coup, le déluge. Comme si toutes les pluies avaient été recueillies dans un entonnoir pour se déverser là. Nous nous sommes abrités sous l'auvent. À travers les murs nous parvenaient les chants rocailleux. Ils ricochaient dans la cour. Le bâtiment était parcouru de statuettes de dragon, phénix, serpent, tigre et tortue. Kerrand en a fait le tour, puis s'est agenouillé devant une tortue pour toucher sa carapace. Lors d'une sortie scolaire, une moniale m'avait expliqué que chaque animal correspondait à une saison.

— Il y en a cinq, a relevé Kerrand.

— Le serpent permet de passer de l'une à l'autre, comme un pivot. La tortue est la gardienne de l'hiver. Si le dragon, le printemps, ne trouve pas le serpent, elle ne cédera pas sa place.

Kerrand a incliné la tête, enfoncé son doigt dans le repli du cou, étudié l'assemblage de la statue sur le socle en bois. Il est resté longtemps ainsi.

Plus loin sur le promontoire, une pagode dans la brume, absorbée par le ciel. Nous y avons couru. La pluie tambourinait sur le sol, brouillant toute perspective au-delà des barbelés sur les plages alentour. À intervalles réguliers, des cabanons d'où sortait la pointe de mitraillettes. Je les ai désignés :

— Les plages françaises doivent être plus accueillantes.

— Je n'aime pas tellement celles du Sud. Les gens s'y amassent mais n'ont jamais l'air vraiment satisfaits d'être là. Je préfère celles de Normandie, plus froides, plus vides. Elles portent aussi les marques de la guerre.

— La guerre est finie chez vous.

Il s'est appuyé contre la rambarde.

— Certes. Mais si l'on fouille profondément le sable du pied, on trouve encore des os et du sang.

— Ne vous moquez pas de Sokcho.

— Je ne vois pas le rapport. Je ne m'en suis jamais moqué.

— Vos plages, la guerre leur est passée dessus, elles en portent les traces mais la vie continue. Les plages ici attendent la fin d'une guerre qui dure depuis tellement longtemps qu'on finit par croire qu'elle n'est plus là, alors on construit des hôtels, on met des guirlandes mais tout est faux, c'est comme une corde qui s'effile entre deux falaises, on y marche en funambules sans jamais savoir quand elle se brisera, on vit dans un entre-deux, et cet hiver qui n'en finit pas !

Je suis retournée au temple. Kerrand m'a rejointe. Mes mains tremblaient. J'ai regardé fixement devant moi.

— L'été dernier, une touriste de Séoul s'est fait abattre par un soldat nord-coréen. En nageant, elle ne s'était pas rendu compte qu'elle avait franchi la frontière.

— Pardonnez-moi, a dit Kerrand.

J'ai baissé les yeux.

— Mais je ne connais pas votre pays, ai-je lâché. Je suis de Sokcho.

— Pas seulement...

Il m'a saisie par la taille pour m'attirer en arrière. Une stalactite de glace s'est écrasée là où je me tenais. Il n'a pas retiré sa main tout de suite. Quand les moniales ont ouvert les portes, l'odeur de l'encens s'est évaporée dans la pluie.

Seollal est arrivé, enfin. Après avoir préparé le tteokguk pour la pension, je suis retournée à l'annexe pour prévenir Kerrand que c'était un jour férié, tout serait fermé. Il m'a remerciée de mon attention. Park lui en avait déjà parlé, il avait fait des réserves de nouilles instantanées à la supérette.

— Pourquoi vous ne goûtez jamais à ma cuisine ? ai-je demandé, blessée.

— Je n'aime pas les plats pimentés, a-t-il répondu, l'air étonné qu'il dût se justifier.

— Mon tteokguk n'est pas pimenté.

Il a haussé les épaules, il goûterait la prochaine fois. Je me suis forcée à sourire. J'ai regardé vers son bureau, Kerrand s'est mis de côté pour me laisser entrer.

Certains de ses dessins étaient au crayon, d'autres à l'encre. Kerrand avait pour son héros l'assurance des gestes que l'on connaît par cœur, des formes que l'on module les yeux fermés. Il arrivait dans une ville. J'ai reconnu les hôtels de Sokcho. La frontière, un gribouillis de barbelés. La grotte aux bouddhas. Il les avait pris de mon univers pour les déposer dans son imaginaire, en gris.

— Vous ne colorez jamais ?

— Ce n'est pas le plus important.

J'ai fait une moue dubitative. Sokcho était si colorée. Il m'a désigné une scène de montagne enneigée pour laquelle il avait décidé d'un soleil au zénith. Seuls quelques traits déterminaient les contours des rochers. Le reste de la feuille était vierge.

— Ce qui sculpte une image, c'est la lumière.

En regardant bien, je me suis rendu compte qu'au lieu de l'encre, je ne voyais que l'espace blanc entre deux traits, l'espace de la lumière absorbée par le papier, et la neige éclatait, réelle presque. Comme un idéogramme. J'ai parcouru d'autres planches. Les cases commençaient à se tordre, à s'estomper, comme si le personnage cherchait son chemin en dehors d'elles. Un temps dilaté.

— Comment savez-vous qu'une histoire se termine ?

Kerrand s'est rapproché du bureau.

— Mon héros atteint le stade où je peux dire qu'il vivait avant moi, qu'il vivra après moi.

L'étroitesse de la pièce le faisait se tenir tout près de moi, je sentais la chaleur de son corps. Je lui ai demandé pourquoi son héros était archéologue. Kerrand a eu l'air de trouver drôle ma question.

— On a dû vous le demander souvent...

Il a souri, dit que non. Puis il m'a parlé de l'histoire de la bande dessinée, de l'essor des auteurs européens après les deux Guerres, la naissance de personnages qui l'avaient influencé, Philémon, Jonathan, Corto Maltese. Des voyageurs. Solitaires.

— Je crois, a-t-il dit, que j'aurais voulu que mon héros soit marin. Mais c'était impossible, avec Corto Maltese...

J'ai haussé les épaules.

— Moi je n'ai jamais entendu parler de ces personnages. La mer est assez vaste pour plusieurs héros, il me semble.

Kerrand a regardé par la fenêtre, a dit peut-être. Au fond, le terme de héros était à revoir. Son personnage n'était qu'un homme à la recherche de son histoire à travers l'histoire de tous les hommes. L'archéologie n'était qu'un prétexte. Il n'y avait rien d'original.

— Il y a peu de personnages dans vos dessins, ai-je dit.

J'ai hésité.

— ... pas de femme.

Kerrand m'a dévisagée. Il s'est assis sur le rebord du lit. Je l'ai rejoint, veillant à conserver une certaine distance entre nous.

— Elles ne lui manquent pas ?

— Si.

Il a eu un rire.

— Forcément. Mais ce n'est pas aussi simple.

Il s'est approché du bureau, a fait glisser son doigt sur le rebord d'une feuille avant de se rasseoir, pensif.

— Une fois le trait à l'encre, il ne change pas. Je veux être certain qu'il soit parfait.

Sa main frôlait la mienne. J'ai pensé aux fois où il me l'avait prise, dans la cuisine, au musée. Une lassitude a engourdi mon corps. Quelle perfection Kerrand attendait-il des femmes pour qu'elles aient le droit de côtoyer son personnage ?

— Tant que je n'arriverai pas à tout faire comprendre en un trait... a-t-il marmonné en réunissant ses planches.

Il a déchiré la feuille supérieure, l'a jetée dans la poubelle. M'a souhaité un joyeux Seollal.

Ma mère m'avait envoyée dans sa chambre lui chercher ses gants. Je les ai trouvés entre la douche et le lit, dans un carton plein de vernis à ongles. Des restes d'omelette avaient séché sur le caoutchouc. Je les ai grattés. Ils ne partaient pas. J'ai dû les réhydrater pour qu'ils ramollissent et se détachent.

Dans la cuisine, pendant que ma mère s'apprêtait à vider le fugu, j'ai jeté du poireau dans le bouillon de bœuf avant de couper le tteok, aveuglée par la buée sur mes lunettes.

— Je vais m'acheter des lentilles.

— Tu es très bien avec tes lunettes.

— L'autre jour tu me parlais de chirurgie.

— Je n'ai jamais dit ça.

— De toute façon je n'ai pas besoin de ton avis.

Ma mère s'est renfrognée. Elle m'a donné une seiche pour que je la réduise en purée. J'ai coupé les tentacules, enfoncé ma main dans la tête pour extraire la poche à encre. Les odeurs de bœuf et poisson cru commençaient à se mêler, âcres, pesantes. J'ai imaginé Kerrand à son bureau. Ses lèvres pincées, sa main errant dans le vide avant de se poser à tel endroit précis sur le papier. Lorsque je cuisinais, j'anticipais la finalité du plat. Apparence, goût, valeur nutritive. Lorsque lui dessinait, il donnait le sentiment de ne penser qu'au mouvement de l'avant-bras, l'image semblait naître ainsi, sans idée préconçue.

Ma mère a donné un coup de poing sur son poisson qui gigotait. Un fluide rosâtre a coulé de la tête. Elle a découpé les nageoires, pelé la peau d'un geste sec, avant de constater que la masse rose, écorchée, se débattait encore. Elle lui a tranché la gorge. Venait la partie délicate : dégager les intestins, les ovaires et le foie pleins de poison sans les percer. Je l'ai regardée faire. Jamais elle ne m'autorisait à manipuler du fugu.

— Tu aimes ton métier ?

— Pourquoi ? a-t-elle grommelé en entaillant le ventre.

— Pour savoir.

Écartelant l'abdomen du bout de son couteau, elle a trituré les boyaux, en a séparé les organes mortels qu'elle a soigneusement enveloppés dans un sachet, avant de le mettre à la poubelle. Surveillant d'un œil mon plan de travail, elle s'est écriée soudain :

— L'encre !

Très maquillée, dans un tailleur noir, ma tante a ri en nous voyant ma mère et moi dans nos costumes traditionnels. Comment pouvait-on les porter de nos jours ! Ma mère a ri aussi. De contrition. Nous avons dressé la table dans un coin de la cuisine, sur le sol carrelé pour ne pas trop salir nos coussins.

Ma tante s'est extasiée sur le sashimi de fugu. Elle ne se permettait pas d'en manger à la capitale, les seuls chefs à prétendre posséder la licence pour en cuisiner étaient japonais, elle ne leur faisait pas confiance. Vingt grammes de chair empoisonnée suffisaient à asphyxier un homme, ils seraient trop contents de voir crever des Coréens comme des lapins serrés dans leur clapier. Elle a froncé le nez. À propos, que signifiait cette couleur grisâtre dans le plat de seiche ?

— Ta nièce a percé la poche d'encre, a déploré ma mère. On ne peut pas lui laisser un couteau entre les mains.

Elle a rempli les bols de tteokguk, les verres de soju.

— D'ailleurs, a-t-elle poursuivi, tu ne trouves pas que son travail à la pension lui ôte ses couleurs ?

Ma tante a rétorqué qu'elle m'avait toujours trouvé l'air malade. Elle a balayé du regard les murs de la cuisine avant de conclure : l'air de Sokcho, sans doute. Je me suis concentrée sur l'absorption de ma soupe, sur le reflet de mon visage à sa surface. Les remous créés par la cuillère brouillaient mon nez, faisaient ondoyer mon front, dégouliner mes joues sur le menton. Ma tante trouvait fade le tteokguk. Je n'en sentais pas le goût, trop occupée à le tasser dans ma panse. En ajoutant de la sauce soja, ma mère a éclaboussé sa sœur qui a mugi qu'il s'agissait d'une soie extrêmement coûteuse. Pour éviter la dispute, ma mère s'est adressée à moi :

— Tu ne dis rien toi, parle à ta tante.

J'ai parlé de l'auteur de bande dessinée.

— Encore lui !

— Il est français.

Ma mère s'est raidie. Ma tante a ricané que les Français n'étaient que des beaux parleurs, encore fallait-il être assez stupide pour tomber dans leurs pièges.

— Que sais-tu de la France… ai-je dit tout bas.

Ma mère a dit que personne à cette table ne connaissait rien à la bande dessinée, il fallait changer de sujet. Je me suis resservie de soupe et de fugu.

— Ils sont beaux, ses dessins. Ils font penser à l'art impressionniste en Europe au xixᵉ siècle, mais il peut être très réaliste pour les détails.

Ma mère s'est agitée sur son coussin, puis s'est tournée vers ma tante adossée contre le mur, repue.

— Elle va bientôt se marier avec Jun-oh.

Ma tante a palpé mes fesses et mes cuisses. Je me suis déplacée avant qu'elle n'atteigne mes seins. Elle a déclaré que c'était bien. Elle s'occuperait de moi pour les habits, le maquillage et, elle m'a dévisagée, les lunettes. Ma mère a dit que je pensais porter des lentilles, n'étais-je pas capricieuse et gâtée ? Au contraire, ma tante avait toujours trouvé affreuses mes lunettes. Tant qu'à faire, autant me faire opérer. À Gangnam les opérations n'étaient plus si chères. Elle était d'accord de me l'offrir si ma mère n'en avait pas les moyens.

— Ce n'est pas une question de moyens, a dit ma mère en me resservant de soupe. Elle est déjà belle avec ses lunettes, elle n'a pas besoin de plus.

Je n'en pouvais plus de faire aller et venir ma cuillère à ma bouche. Sous l'effet du soju, ma tante a commencé à respirer plus fort, le menton luisant. Elle m'a regardée encore, m'a demandé pourquoi je me goinfrais. Paniquée, ma mère lui a dit de ne pas me faire ce genre de remarque, pour une fois que je mangeais. J'ai serré les doigts sur ma cuillère. Ma tante a repris du kimchi et l'a mâché, bouche ouverte. Des morceaux ont giclé de ses lèvres pour atterrir entre les plats, enrobés d'une pellicule de salive rougeâtre. J'ai relevé la tête de mon bol. Je les ai fixés. Avant de dévisager ma tante. Me lançant un regard mauvais, elle les a repris du bout de ses baguettes. Je me suis levée, j'ai mis mon manteau. Je rentrais à la pension. Ma tante a haussé un sourcil vers ma mère. Je n'allais donc pas au cimetière ? Ma mère m'a implorée des yeux, avant de faire un geste d'impuissance vers sa sœur et de me regarder partir.

Il n'y avait plus de bus à cette heure-ci. J'ai marché les bras enveloppés autour de mon abdomen douloureux de tout ce dont je l'avais bourré.

À l'annexe, j'ai essayé de ne pas faire de bruit mais Kerrand a passé sa tête par l'entrebâillement de sa porte. Je me suis enfermée dans ma chambre et je me suis vue dans le miroir. Le vent avait emmêlé mes cheveux, ils tombaient comme des orvets autour de mon visage. Jupe maculée de sable et de boue. Que Kerrand efface cette image de moi. Qu'il ne me voie pas. Pas comme cela. Pas avec cette soupe dans le ventre qui me déformait la carcasse. Dormir.

Je me suis réveillée la bouche sèche, les membres engourdis. Il faisait noir, le réveil indiquait quatre heures. Poids sur l'estomac. J'ai refermé les yeux. Quand je les ai rouverts, il était dix heures. M'extirpant péniblement des draps, j'ai aéré la chambre et pris de la glace sur le rebord de la fenêtre pour décongestionner mon visage bouffi.

Le vieux Park n'a pas fait de commentaire sur mon arrivée tardive à la réception. Il s'était occupé du petit-déjeuner. Sans relever les yeux de son journal, il a dit que la fille et son ami avaient passé la soirée dans leur chambre, il avait pris seul son repas de Seollal, devant la télévision, mais en fin de compte ce n'était pas plus mal car mon tteokguk trop cuit aurait nui à la réputation de la pension. L'émission avait été intéressante, un concours de chanson populaire.

Kerrand est arrivé dans la cuisine avec des muffins de la supérette. Je me suis mise à la vaisselle. Avoir l'air occupé. Il a mangé debout en regardant par la fenêtre. À contre-jour, son nez lui faisait un profil de goéland. Je devais faire un effort pour en détourner le regard. Park a allumé la radio. Dernier tube d'un groupe de K-Pop à la mode. Kerrand a froncé les sourcils.

— Vous non plus, vous ne supportez pas ça ? ai-je demandé.

— Je n'osais pas le dire.

Nous avons ri. J'ai éteint la radio. Je n'aurais pas dû. Le silence s'est fait plus glacial que la température trois semaines auparavant. Le copain de la fille est entré dans la cuisine. Il s'est fait un café, s'est gratté le nez, est ressorti. J'ai surpris Kerrand qui m'observait. Il ne baissait pas le regard, je me suis détournée. Je devais lui faire pitié. J'ai répondu à l'appel de Jun-oh devant lui, feignant la joie. On l'avait embauché. Il rentrait dans deux jours chercher ses affaires. Pourrions-nous nous voir ? Bien entendu. Mais qu'il m'appelle avant d'arriver. Qu'il ne vienne pas sans prévenir.

Quand j'ai raccroché, Kerrand était à table, son carnet devant lui. Il a penché la tête, replacé ses cheveux en arrière, posé la mine du crayon sur le papier. Trait après trait, j'ai vu apparaître un toit. Un arbre. Un muret. Des mouettes. Une bâtisse. Elle ne ressemblait pas aux maisons de Sokcho, elle était en brique. Il a mis de l'herbe alentour. Pas l'herbe d'ici, brûlée par le gel en

hiver, par le soleil en été, mais de l'herbe grasse.
Puis une jambe. Des jambes épaisses de vaches,
et puis les vaches tout entières. Au loin, un
port et des landes, des vallons venteux. À la fin,
Kerrand a frotté la mine pour créer de l'ombre.
Il a détaché la feuille du carnet, me l'a tendue.
Sa Normandie. Il me la donnait.

Engoncée dans son tablier, ma mère décorti-
quait des coquillages. Mutique. Comme elle avait
refusé que je touche à ses ustensiles je me tenais
à côté d'elle et regardais les aquariums. Elle
m'en voulait encore. Au bout d'un moment, elle
a pelé une pomme, l'a posée sur mes genoux.

— Tiens. Le docteur m'a dit d'en manger.

J'ai croqué dans le fruit, distraite par une sou-
daine agitation sur le marché. J'ai tendu le cou
pour mieux voir. Au bout de l'allée, Kerrand.
Les poissonnières rivalisaient de sourires en lui
tendant du poulpe cru. Ma mère l'a vu elle aussi.
Elle a vérifié la propreté de son étal, lissé ses
cheveux, remis du rouge à lèvres. J'ai cherché à
m'échapper mais c'était trop tard, il s'est avancé
jusqu'à nous.

— Je ne m'attendais pas à vous ici, a-t-il dit,
l'air agréablement surpris.

Il a voulu savoir si j'avais un moment de libre,
il avait avancé dans son histoire, souhaitait m'en

parler. Ma mère m'a donné une tape sur les fesses.

— Il dit quoi ?

Mortifiée, j'ai demandé à Kerrand de me retrouver à dix-sept heures au petit café en face du marché, vers l'abri anti-tsunami. Ma mère a plissé les yeux, il a répondu par un sourire de politesse. Après son départ je me suis tournée vers elle :

— C'est lui.

— Qu'est-ce qu'il te veut ?

— On se voit tout à l'heure.

— Le dimanche on dort ensemble. Tu lui as dit ?

Je n'ai pas répondu.

— J'ai bien vu comme tu le regardais.

— C'est pour son travail !

Ma mère a repris son crochet. Dans un faux mouvement, elle a renversé la caisse. Les coquillages se sont déversés jusqu'aux pieds des autres poissonnières qui retenaient à peine leurs railleries. Ma mère s'est jetée au sol, j'ai voulu l'aider, elle m'a repoussée. Alors je suis restée debout jusqu'à ce qu'elle se relève, que ses consœurs se taisent. Ensuite je suis partie.

La photo Polaroid gisait encore dans les draps défaits. D'autres traînaient au mur. J'en ai décroché une au hasard. Jun-oh me soulevait par la taille. Je riais. Nous fêtions ma remise de diplôme à Séoul, peu avant qu'il me suive à Sokcho. En regardant l'image, j'ai commencé à articuler des mots en français, en silence. Un début de phrase. Un son a fini par sortir de ma bouche. Je me suis tue aussitôt. J'ai reposé la photo, rassemblé mes affaires. Un recueil d'aphorismes sur les chats, un pull, des porte-jarretelles fantaisie. J'avais déjà pris l'essentiel à la pension, le reste était chez ma mère.

Il soufflait un vent plus doux sur la plage. Les vagues n'étaient pas régulières, elles avaient le hoquet. Fouinant dans le sable, les mouettes se dandinaient pour m'éviter. Sauf une, qui boitait. Je l'ai pourchassée jusqu'à ce qu'elle s'envole. Je ne trouvais les mouettes dignes qu'aériennes.

Au Lotte Mart, parmi les lentilles en silicone hydrogel, le seul modèle correspondant à la correction de mes lunettes donnait l'illusion d'un iris dilaté. Je l'ai pris quand même.

De retour à la pension, j'ai fait une lessive. Le gilet beige de Park, mon autre robe pull, le pyjama de la fille. J'ai dû laver à la main, les tuyaux de la machine s'étaient fissurés à cause du gel. J'ai enfilé des collants plus opaques. Ma cicatrice offensait le regard. J'ai voulu mettre mes lentilles. La première faisait un filtre de brouillard sur mon regard, j'avais mal choisi la correction. La deuxième refusait de se coller contre ma cornée. J'étais en retard, Kerrand devait m'attendre. Nerveuse, j'ai tiré la langue, écarté mes paupières, recommencé. La lentille est tombée de mon doigt. Je l'ai cherchée à tâtons. Pour finir je les ai remises dans leur boîte, et les lunettes sur mon nez.

Nous étions les seuls clients dans le café. Près du radiateur pour faire sécher nos chaussures. Sur le rebord de la fenêtre, des meubles miniatures avaient été agencés comme dans une maison de poupées. Il faisait sombre. Dans une vitrine réfrigérée près du comptoir, deux tourtes à quinze mille wons, et du fond de teint au sérum d'escargot, quinze mille wons aussi. La serveuse nous a offert un bol de calamar séché. J'ai reconnu la fille que j'avais vue aux jjimjilbangs, celle de mon âge, aux seins tombants. Elle avait dessiné un cœur en caramel sur mon cappuccino. Sur celui de Kerrand, un poussin.

Kerrand a pris un tentacule, l'a tourné entre ses doigts.

— Quand j'étais enfant, ai-je dit, ma mère me racontait que si l'on buvait du lait en mangeant du calamar, des tentacules poussaient dans nos veines. Ou des vers, je ne sais plus.

J'ai ri.

— Je crois que c'était une ruse pour m'empêcher d'en boire. Je ne le digère pas. Vous aimez, vous, le lait ?

— Je préfère le vin.

— Il n'y en a pas à Sokcho.

Absorbé par le calamar, il n'a pas répondu. J'ai regretté d'avoir parlé. Mon téléphone s'est mis à vibrer sur la table. Jun-oh à l'écran. Je l'ai rangé dans mon sac.

— Je n'ai pas vu beaucoup de gens de votre âge, a dit Kerrand.

— Ils partent tous.

— Vous ne vous ennuyez pas trop ?

J'ai haussé les épaules.

— Vous n'avez pas de petit ami ?

J'ai hésité, avant de répondre non. Boy-friend. Je n'avais jamais compris ce mot, ni sa version française. En quoi l'adjectif petit qualifiait-il un amant ?

— Et vous ?

Il avait été marié. Il y a eu un silence.

— Alors, ai-je demandé, vous en êtes où ?

— Avec ma femme ?

— Non, votre héros.

Il a eu un rire bref, presque un soupir. Il avait des ébauches, rien d'abouti. Chaque histoire avait été le brouillon de la suivante. La dernière, il ne savait plus.

— Je crois que j'ai peur de perdre un monde

sur lequel je n'aurai plus de pouvoir une fois qu'il sera terminé.

— Vous n'avez pas confiance en vos lecteurs ?

— Ce n'est pas la question…

Il s'est mis à effilocher le tentacule.

— Toujours, l'histoire que je crée s'éloigne de moi, elle finit par se raconter d'elle-même… Alors j'en imagine une autre, mais il y a celle en cours qui se dessine sans que je la comprenne et qu'il faut bien que je finisse, et quand enfin je peux commencer la nouvelle, tout recommence…

Ses doigts s'acharnaient sur le tentacule.

— Parfois je me dis que je n'arriverai jamais à transmettre ce que je veux dire vraiment.

J'ai réfléchi.

— Peut-être que c'est mieux comme cela.

Kerrand a relevé la tête. J'ai continué :

— Peut-être que vous ne dessineriez plus, sinon.

Il est resté silencieux. Je me suis rapprochée de la table.

— Qu'est-ce qui se passe dans cette histoire-là ?

Il préférait me montrer les dessins. Je n'ai pas insisté. Une femme est entrée avec un carton de nouilles aux haricots rouges, la porte s'est refermée dans une bourrasque. Contre la fenêtre crépitait la pluie. Kerrand a reboutonné son manteau :

— C'est toujours comme cela l'hiver ?

— C'est une année particulière…

La serveuse a rejoint la femme au comptoir avec du radis mariné. Kerrand les a regardées, puis s'est tourné vers moi, plus léger.

— Je me suis toujours demandé si les pâtes venaient de Chine, ou d'Italie.

Comment pouvait-on le savoir, des deux côtés du monde, l'Histoire s'était écrite comme chacun voulait bien la voir. Connaissais-je la cuisine européenne ? J'ai dit que je n'aimais pas les spaghettis. Il a ri, je devais en manger de vrais, en Italie.

J'ai baissé les yeux. Il a cessé de rire.

— Pardon, c'était maladroit.

— Quand même, ai-je dit, que vous soyez à Sokcho, je n'arrive pas à comprendre.

— C'est vrai, je ne sais pas ce que j'y ferais encore sans vous.

Je me suis figée.

— Je plaisantais, a-t-il dit sans sourire.

Il a entassé les miettes de calamar dans un coin de la table, en a pris un deuxième.

— On ne joue pas avec la nourriture.

Il l'a reposé. Les femmes nous jetaient des regards furtifs, parlaient à voix basse en triturant les nouilles de leurs baguettes, sans manger. La pièce sentait l'oignon frit.

— Qu'est-ce qu'elles disent ? a demandé Kerrand.

— Rien d'important.

Il a hoché la tête, lentement. Il m'a semblé soudain très seul.

— Cette fois, la fin, ce sera une fin définitive ? lui ai-je demandé, plus douce.

— Probablement pas. Pour l'instant oui.

J'ai pris un tentacule pour remuer le fond de ma tasse. Lui n'avait pas touché à la sienne. Le lait commençait à faire gonfler mon ventre. J'ai réajusté ma robe pull pour le dissimuler.

— Le bordeaux vous va bien, a dit Kerrand.

— Non c'est trop grand, c'était à ma tante.

— Je parlais de la couleur…

Nous nous sommes tus. Les filles s'étaient servies du gâteau rose et regardaient leur part sans y toucher. Elles ne parlaient plus. Dehors c'était la nuit. À travers la fenêtre, on apercevait le marché. Les étals sous les bâches, comme des sarcophages.

— En fait, a dit Kerrand, il ne manque plus qu'elle.

Il fixait un point vers mon épaule.

— Celle avec qui je laisserai mon personnage.

— Vous ne l'avez pas encore trouvée ?

— Par ce froid ce n'est pas évident.

Je l'ai regardé :

— Je n'y suis pour rien.

— Pardon ?

— Le froid, me suis-je agacée, je n'y suis pour rien.

Il a haussé un sourcil, avant de reprendre :

109

— Vous la voyez comment, vous ?

J'ai dit que je n'avais pas lu ses bandes dessinées.

— Peu importe, j'aime votre regard.

Mais lui, ai-je voulu savoir, son héros, que recherchait-il ?

Kerrand s'est accoudé à la table.

— Cela semble évident.

— Pas pour moi.

— Une histoire qui ne se terminerait jamais. Qui raconterait tout. Elle serait comprise de tous. Une fable. Une fable absolue.

— Les fables sont tristes, ai-je dit.

— Pas toutes, non.

— Toutes celles qui viennent de Corée, si. Vous devriez les lire.

Kerrand s'est tourné vers la fenêtre. Du bout des lèvres, j'ai articulé :

— Et cette femme dans cette fable, qu'aurait-elle de plus ?

Il a réfléchi.

— Elle serait éternelle.

Une boule s'est formée dans ma gorge. En quoi mon avis pouvait-il lui importer, quoi que je dise, celle qu'il retrouverait ce soir, c'était l'autre. Quoi que je fasse il serait loin vers son dessin. Qu'il retourne dans sa Normandie, le Français ! J'ai léché ce qui restait de crème sur mon tentacule. Je me suis levée. J'avais du travail. Kerrand m'a dévisagée. Avant de baisser les

yeux et de dire en français, comme pour lui-
même, qu'il me raccompagnait.

— Je préfère être seule.

Dans la rue, j'aurais voulu me retourner, qu'il
insiste pour être auprès de moi, j'aurais voulu
le supplier de me rattraper. Mais il m'a suivie
un peu en arrière, jusqu'à la pension. Sur l'arc
de triomphe, le dauphin pendait par un morceau de nageoire. Explosé par le gel. Sourire à
l'envers.

Jun-oh est rentré deux jours plus tard, vers minuit. Son bus avait été retardé par la neige. Je l'attendais dans la salle commune, avec du calamar au gingembre qu'il n'a pas voulu toucher, il avait déjà mangé, faisait attention désormais.

En chemin vers l'annexe, je lui ai fait remarquer qu'il n'avait jamais pris de mes nouvelles. Il a rétorqué que je ne l'avais jamais appelé non plus. Il ne supportait plus cette distance. Il fallait que je l'accompagne à Séoul, son salaire suffirait pour deux le temps que je trouve quelque chose. J'ai soupiré. Nous en avions déjà parlé, je ne pouvais pas abandonner ma mère. Elle n'avait qu'à venir avec nous. J'ai secoué la tête, elle n'aurait pas de travail là-bas, et je ne voulais pas vivre sous le même toit qu'elle. Jun-oh a serré ma main. Il ne pouvait pas renoncer à ce job, c'était une chance. J'ai repensé à Séoul. L'alcool, les rires, les lumières qui arrachaient les yeux, le corps explosé par le vacarme, et ces filles toujours, toutes ces autres filles et ces garçons de plastique dans cette ville qui se cambre et se déhanche et croît toujours plus haut, et je lui ai dit que c'était bien. Qu'il ne fallait pas qu'il y renonce pour moi. Il a dit que j'étais bête. Qu'il m'aimait tellement.

Au lit nous avons gardé le silence. Regardé le plafond. Jun-oh a fini par dire, dans un murmure, qu'il reprendrait le bus le lendemain. Mes pieds étaient glacés. Je me suis plaquée contre lui. Il a soulevé mes cheveux, cherché ma nuque. J'ai chuchoté qu'il y avait quelqu'un à côté. Respirant plus fort, il a relevé ma chemise de nuit pour lécher mon ventre avant de disparaître entre mes jambes. J'ai protesté encore, puis je l'ai laissé faire. Dans le seul désir d'être désirée.

Je me suis levée tôt pour préparer le petit-déjeuner. À mon retour dans l'annexe, Jun-oh attendait devant la salle de bains, torse nu, une serviette enroulée autour des hanches. Kerrand a fait coulisser la porte dans un nuage de vapeur. Découvrant Jun-oh, il s'est figé un instant, avant de me saluer d'un signe de tête et de s'enfermer dans sa chambre. Jun-oh s'est esclaffé, il n'avait jamais vu un tel nez. J'ai rétorqué qu'il pouvait se le faire ainsi le jour où on l'opérerait. Il m'a regardée, interdit. J'avais changé. Je l'ai embrassé sur le front, il se faisait des idées, qu'il se dépêche, le bus ne l'attendrait pas.

Un grand carton était posé sur le bureau de la réception. Ma mère me l'avait apporté dans la matinée, m'a informée Park. Elle n'avait pas souhaité me voir. C'était du boudin de pieuvre.

En allant à la cuisine pour le mettre au réfrigérateur, j'ai vu la fille aux bandages à travers la baie vitrée. Elle mangeait du tteok au miel. Trop réchauffé, il se distendait en longs filaments. Elle a grignoté un peu, puis elle a porté son téléphone à l'oreille et fait bouger ses lèvres coincées entre les bandes. Quand elle a raccroché, très calme, elle a saisi le bandage entre deux doigts. S'est mise à tirer. À mesure que la peau se découvrait, je pouvais voir suinter les plaies. Les sourcils n'avaient pas encore repoussé. Elle avait l'air d'un grand brûlé, visage ni homme ni femme. Enfonçant un ongle dans sa joue, elle a gratté. Farfouillé. Creusé. Labouré. Des lambeaux rose clair s'effritaient sur ses genoux, sur le carrelage. À la fin, elle a regardé autour d'elle, comme étonnée. Avec le chiffon que j'utilisais pour essuyer la vaisselle, elle a consciencieusement réuni bandages et bouts de peau, les a déposés dans son assiette par-dessus le tteok, et jeté le tout dans la poubelle.

Je me suis cachée derrière le bureau de la réception pour qu'elle ne me voie pas en sortant.

À quatorze heures, elle est repartie à Séoul.

Dans le halo de la lampe rose, Édith Piaf à la radio, Park aspirait ses pâtes en glougloutant. Il m'avait demandé de les cuire dans un bouillon de viande, il n'en pouvait plus du poisson. La radio s'est mise à grésiller. Park l'a éteinte. Immobile devant le poste, il a dit que dans l'après-midi, vers le pont, il avait vu deux nouveaux hôtels, encore. Il n'avait plus le choix. Il emprunterait des sous pour finir la rénovation du premier étage avant l'été, sans quoi la pension ne survivrait pas.

À la surface de ma soupe, un morceau de kimchi pataugeait, flanqué d'une bouée de graisse. Il m'a fait penser aux croûtes de la fille. M'efforçant de paraître désinvolte, j'ai demandé à Park s'il avait vu le Français. Depuis le départ de Jun-oh trois jours plus tôt, Kerrand restait enfermé dans sa chambre, « Do not disturb » sur la porte. Il ne me donnait plus rien à laver, ne venait plus lire à la salle commune. Je ne sentais sa présence qu'à la salle de bains, à travers les traces de dentifrice dans le lavabo, le savon qui rapetissait. La veille je l'avais croisé devant la supérette, il m'avait devancée sans m'adresser la parole. Le brouillard était dense, mais deux mètres à peine nous avaient séparés.

Park a grommelé qu'en plus, il allait devoir retourner chez le dentiste. Je lui ai jeté un coup d'œil. Quand il mastiquait, sa gorge palpitait comme un oisillon qui vient de naître et va mourir.

Dans la soirée, j'ai appelé Jun-oh. J'ai pris de ses nouvelles, puis j'ai annoncé que je le quittais. Il y a eu un silence. J'ai cru qu'il avait raccroché. Il a demandé pourquoi. Je me suis levée, j'ai écarté les rideaux. Tombait une neige mouillée. Abritée par un journal, une silhouette se hâtait. Elle s'est engouffrée dans la ruelle, avant de disparaître. D'une voix faible, Jun-oh a fini par dire qu'il était fatigué, il allait me laisser, on en reparlerait.

J'ai retiré mon pull. Je me suis avancée encore vers la fenêtre, jusqu'à ce que mon ventre et mes seins s'écrasent contre la vitre. Une fois anesthésiée par le froid, je me suis couchée.

De l'autre côté du mur, la main était lente. Pavane de feuilles mortes dans le vent. Nulle violence dans ce bruit. De la tristesse. De la mélancolie plutôt. La femme devait se lover au creux de sa paume, s'enrouler autour de ses doigts, lécher le papier. Toute la nuit je l'ai entendue. Toute la nuit j'aurais voulu tirer sur mes joues pour couvrir mes oreilles. Le supplice n'a cessé qu'au petit matin, lorsque enfin la plume s'est tue, épuisée je me suis endormie.

Le quatrième soir, n'y tenant plus, j'ai frappé à sa porte. Je l'ai entendu refermer le pot d'encre avant de venir m'ouvrir. Pieds nus, des cernes sous les yeux. Sa chemise faisait des plis sous le pull. Sur son bureau, des liasses de planches et de croquis, un bol de nouilles instantanées. Je me suis balancée d'une jambe à l'autre.

— L'autre jour, le garçon, ce n'est pas ce que vous croyez…

Kerrand a froncé les sourcils, comme s'il cherchait à se remémorer ce à quoi je faisais allusion. Puis il a eu l'air très étonné. Je me suis sentie idiote. Je lui ai demandé s'il avait besoin de quelque chose, il a dit que non, il me remerciait. Il devait avancer.

— Je peux voir ?

— Je ne préfère pas.

La colère a remplacé ma gêne.

— Pourquoi ?

— Si je la montre maintenant, cette histoire ne paraîtra jamais.

— Avant vous me laissiez regarder...

Kerrand s'est déplacé comme s'il voulait me dissimuler son bureau. Il a passé une main derrière sa nuque.

— Je suis désolé.

Il a demandé que je le laisse, il n'avait rien à montrer, il devait travailler.

J'ai fait coulisser la porte.

Puis je l'ai rouverte et j'ai dit d'une voix blanche :

— Votre héros. Il ne la trouvera pas s'il est comme vous. Pas ici. Il n'y a rien ici pour lui.

Kerrand s'apprêtait à tracer un trait. Il a suspendu son geste. Au bout du pinceau, une goutte se gonflait, prête à tomber. Il m'a semblé qu'un éclat de détresse a lui sur son visage, puis l'encre s'est écrasée sur le papier, inondant un coin de paysage.

J'ai traversé la ruelle jusqu'au bâtiment principal, jusqu'à la cuisine où j'ai déballé le boudin de ma mère et accroupie par terre j'ai mangé frénétiquement, rempli ce corps qui m'étouffait, me bourrant jusqu'à suffoquer, et plus j'ingurgitais plus je me dégoûtais, plus mes lèvres s'agitaient, plus ma langue triturait, jusqu'à ce qu'ivre de boudin je m'effondre et que mon ventre se torde et régurgite une bouillie acide sur mes cuisses.

Un néon vert s'est allumé dans le couloir. Bruit de pas. Le vieux Park est entré. A balayé la pièce du regard. Mes cheveux, répandus sur mon visage. Il m'a prise dans ses bras, a tapoté mon épaule comme on rassure un bébé, avant de m'emmitoufler dans son manteau pour me reconduire à ma chambre, sans un mot.

Le lendemain, j'ai exécuté mes tâches avec des gestes d'automate, épuisée par la distension abdominale. Dès que possible je me suis cloîtrée dans ma chambre pour m'étendre sur le sol chauffant, un coussin sous les reins, jambes et bras écartés pour éviter tout contact avec ma propre peau. Je n'étais bien qu'en chemise de nuit, sans élastique pour m'enserrer la taille. À regarder par la fenêtre.

Deux coups ont résonné contre ma porte. Kerrand. Il avait besoin de retourner au supermarché. Ce n'était pas la peine que je l'accompagne, pouvais-je seulement lui traduire un mot ?

J'ai retenu ma respiration.

Il a fini par dire que ce n'était pas grave, il se débrouillerait. Il a marqué un silence. Avant d'ajouter, en français, que j'avais raison. Il se prenait pour son héros depuis trop d'années. Il ne me ferait plus perdre de temps, il rentrait chez lui. Dans quatre jours.

Puis il s'est éloigné.

Je me suis traînée jusqu'au lit, roulée en fœtus sous la couverture.

Il n'avait pas le droit de partir. De s'en aller avec son histoire. De l'exhiber de l'autre côté du monde. Il n'avait pas le droit de m'abandonner avec la mienne qui se dessécherait sur les rochers.

Ce n'était pas du désir. Cela ne pouvait pas l'être, pas avec lui, le Français, l'étranger. Non c'était certain, il ne s'agissait pas d'amour ni de désir. J'avais senti le changement dans son regard. Au début il ne me voyait pas. Il avait remarqué ma présence comme un serpent se glisse en vous pendant vos rêves, comme un animal de guet. Son regard, physique, dur, m'avait pénétrée. Il m'avait fait découvrir quelque chose que j'ignorais, cette part de moi là-bas, à l'autre bout du monde, c'était tout ce que je voulais. Exister sous sa plume, dans son encre, y baigner, qu'il oublie toutes les autres. Il avait dit aimer mon regard. Il l'avait dit. Comme une vérité froide et cruelle qui ne le touchait pas le moins du monde dans son cœur, juste dans sa lucidité.

Je n'en voulais pas de sa lucidité. Je voulais qu'il me dessine.

Ce soir-là, pendant qu'il était à la salle de bains, je suis rentrée dans sa chambre. Les planches étaient rangées. Une boule de papier humide de salive traînait dans la poubelle. Je l'ai dépliée. Elle collait. La femme était déchirée mais l'ébauche d'un trait me suffisait à présent pour créer les lignes qu'il ne dessinait pas. Elle dormait, le menton sur des paumes ouvertes. Qu'il lui donne vie, à cette sorcière, qu'elle vive enfin, que je puisse la disloquer ! Je me suis approchée du bureau. L'encre luisait dans le pot. J'y ai trempé mon doigt pour le passer sur mon front, mon nez, mes joues. L'encre a dégouliné entre les lèvres. C'était froid. Poisseux. J'ai retrempé mon doigt dans le pot pour descendre du menton le long des veines jusqu'à la clavicule, puis je suis retournée dans ma chambre. Une goutte a coulé dans mon œil. Sous la brûlure, j'ai fermé les yeux très fort. Quand j'ai voulu les rouvrir, l'encre avait collé les paupières. J'ai dû détacher les cils un par un devant le miroir pour qu'apparaisse à nouveau mon image.

Trois jours ont passé au rythme lent des bateaux sur la houle. Kerrand ne sortait pas de sa chambre, je ne rentrais dans la mienne que tard dans la nuit pour être certaine qu'il fût endormi. Chaque soir je marchais jusqu'au port. Les hommes se préparaient à la pêche aux calamars. Ils s'attardaient à la baraque à soupe, ajustaient leur ciré, que le vent ne puisse s'engouffrer par le ventre ou le cou, avant de se rendre à l'embarcadère, de monter sur les vingt-quatre bateaux pour allumer les ampoules des câbles tendus de la poupe jusqu'à la proue, elles appâteraient les mollusques loin de la côte. Les bouches ne parlaient pas, les mains s'activaient, aveugles, dans le brouillard. Je marchais jusqu'à la pagode au bout de la jetée, dans les relents du large qui faisaient la peau grasse, posaient du sel sur les joues, et sur la langue, un goût de fer, et bientôt les milliers de lanternes se mettaient à briller, alors les pêcheurs libéraient les amarres, et leurs pièges de lumière partaient vers le large, procession lente et fière, la Voie lactée de la mer.

Le matin du quatrième jour, en triant les vêtements sales dans la buanderie, j'ai retrouvé un pantalon que la fille aux bandages avait dû oublier. J'ai retiré mes collants pour l'essayer. Mes cuisses flottaient à l'intérieur mais je n'arrivais pas à le boutonner. Au bord des larmes, je l'ai retiré. En voulant remettre mes collants j'ai constaté qu'ils étaient filés. Je me suis accroupie pour en chercher d'autres dans la pile de linge, et j'ai vu que Kerrand était entré.

Il se tenait contre la porte, un sac d'habits dans les mains. J'ai tiré sur mon pull pour couvrir mes jambes. Je lui ai dit que je triais les couleurs, il n'avait qu'à poser ses affaires. Il s'est exécuté de façon gauche, comme si ses bras étaient trop longs pour son buste, avant de se raviser, ce n'était pas la peine, son bus partait le lendemain à dix heures du matin.

— Je vous enverrai un exemplaire quand l'histoire aura paru.

— Vous n'êtes pas obligé.

Il s'est assis pour être à ma hauteur. L'odeur de lessive et de pétrole me donnait le vertige.

— D'ici là, je peux faire quelque chose pour vous remercier ?

Je me suis hâtée de mettre le linge dans la machine. Me suis relevée. J'ai voulu m'en aller, mais la main de Kerrand s'est posée sur l'arrière de mon genou. Sans me regarder, les yeux vers le sol, il s'est penché, lentement. Jusqu'à ce que sa joue se presse contre ma cuisse.

Dans le tambour, les vêtements, gorgés d'eau, ont commencé à tourner. Bruit mat. Se soulever, avant de retomber. Lourds. Se soulever encore et retomber. Tourner, retomber toujours plus vite. Jusqu'à ce qu'ils ne soient plus qu'un tourbillon, que le tourbillon se fracasse contre la vitre. Le son de la machine ne me parvenait plus. Cela n'a pas duré. Quelques secondes tout au plus. Et le bruit de la machine est revenu.

— Je voudrais que vous goûtiez à ma cuisine, ai-je dit alors.

J'ai baissé les yeux. Kerrand fixait la machine. Absent déjà, comme s'il venait de perdre une guerre, que la fatigue avait eu raison de lui. Il s'est relevé, dans un murmure il a dit :

— Bien sûr.

Puis il est parti en refermant la porte derrière lui.

Après le repas du soir, ma mère et moi nous sommes couchées pour regarder la télévision. Ma mère s'est placée dans mon dos, ses jambes de part et d'autre de mes hanches.

— C'est la première fois que tu viens me voir un samedi, a-t-elle dit en massant ma nuque.

— Le vieux Park sera à Séoul demain, je devrai rester à la pension.

La présentatrice montrait sur des mannequins comment se faire une moustache à l'aide d'un atomiseur de poils et de colle fine. Ma mère fixait l'écran avec passion, peut-être que Jun-oh faisait partie de l'émission, c'était difficile de le distinguer, ils étaient tous pareils à l'écran. De toute façon elle était contente, il deviendrait célèbre. J'ai pensé qu'un jour il faudrait que je lui annonce la rupture. Elle s'est mise à frictionner mes épaules, insistant sur ma clavicule qu'elle trouvait trop visible. La pression de ses doigts me courbait vers ses pieds.

Ils avaient la peau si dure qu'on aurait dit des cailloux.

— Tu devrais mettre de la crème.

— Oh, tu sais…

Pendant la publicité, elle est revenue de la cuisine avec un tube de gelée de kaki. Une marque réputée. Un cadeau de ma tante. Elle a percé le bouchon, les yeux brillants, elle avait attendu que je sois là. Je lui ai rappelé que je n'aimais pas la texture de la gelée. Ma mère a regardé l'étiquette, déçue. Cela ne se gardait pas. Elle s'est calée contre le dossier du lit pour goûter. À l'écran, on parlait d'un miracle contre les pores dilatés. J'ai pris la gelée de ses mains, je me suis mise à téter. Cela descendait mou dans le cou. Ma mère a poussé un soupir d'aise et le tube cathodique s'est remis à pulvériser ses petits clones autour de nous.

À l'aube avant le réveil de ma mère, j'ai traversé le hangar de déchargement jusqu'au marché de poisson. À la lueur de ma lampe torche, les poulpes se convulsaient dans les aquariums. Vaisselle en vrac, brocs pleins de liquide orange. Odeur acide. Mes pas sur le béton, le clapotis de l'eau. Amplifiés. Distordus comme nous parviennent les bruits la tête sous l'eau.

Les fugus de ma mère flottaient la bouche ouverte, l'air étonné. Elle leur avait arraché les dents pour qu'ils ne se blessent pas mutuellement. Ils avaient de grosses lèvres. Par bonne conscience, j'ai choisi celui qui me paraissait le plus stupide. Hors de l'eau, il s'est mis à donner de violents coups de nageoire. Dans la panique, je l'ai frappé trop fort, sa tête s'est écrasée entre mes doigts. Je l'ai emballé dans un sac pour qu'elle ne coule pas jusqu'à la pension.

Le ciel commençait à rosir. J'ai mis le poisson au réfrigérateur, pris une longue douche, enfilé la tunique en acrylique avant de tenter de remettre mes lentilles. Cette fois-ci, elles ont fait ventouse sur ma cornée. Avec un crayon noir, j'ai tracé une ligne au-dessus des yeux. Mon mascara était sec, j'ai dû le tremper dans de l'eau avant de pouvoir l'utiliser. J'ai relevé mes cheveux en chignon lâche, reculé pour me détailler dans la glace.

J'avais les traits fatigués. L'acrylique faisait une bosse sous le nombril. J'ai hésité à changer d'habits mais on me voyait toujours avec ma robe pull alors j'ai gardé la tunique.

En arrivant dans la cuisine j'ai constaté que la baie vitrée était sale, il faudrait que je la nettoie avant le retour de Park. J'ai allumé la radio. Discours du Premier ministre japonais à propos d'un accord commercial avec la Chine. J'ai posé le fugu sur mon plan de travail, visualisé les gestes de ma mère. Les miens devaient être parfaits.

Cette espèce-là n'avait ni écailles ni picots, mais une peau qui crissait sous la main. Je l'ai essuyée, j'ai découpé les nageoires avec des ciseaux, pris un couteau, tranché la tête. Le cartilage était plus épais que prévu. J'ai recommencé avec un couteau plus lourd. Craquement sec. J'ai incisé la peau, tiré d'un seul coup en suivant la courbe de l'abdomen, avant d'y enfoncer la lame comme dans un kaki mûr, découvrant les viscères. Il n'y avait pas d'ovaires, c'était un mâle. J'ai raclé le sang avec une petite cuillère, retiré les intestins, le cœur et l'estomac, avec les doigts pour ne pas les percer. Lubrifiés par la lymphe, ils glissaient. Dégageant délicatement le foie, je l'ai coupé au niveau de l'attache à la vésicule biliaire. Il était petit. Flan rosé. J'ai remué ma paume pour le faire trembloter. Puis je l'ai emballé dans un sachet hermétique et je l'ai jeté à la poubelle.

Le poisson avait à présent l'aspect d'une

baudruche dégonflée. Je me suis lavé les mains, je l'ai rincé, l'ai dépecé. Filets fragiles et blancs comme de la vapeur. Après les avoir épongés avec une serviette immaculée pour vérifier qu'il ne restât pas de sang, je me suis mise à les trancher. De la plus fine de mes lames. La pointe oscillait légèrement.

Une heure plus tard, j'avais terminé.

J'ai râpé du radis, préparé l'assaisonnement, vinaigre de riz et sauce soja, puis j'ai choisi un large plat de céramique. En nacre incrustée, une envolée de grues. J'y ai disposé les morceaux de fugu. Ils étaient si fins qu'on aurait dit des plumes à peine plus solides que de l'air. Les motifs en nacre apparaissaient en transparence. J'aurais aimé que ma mère le voie.

Dans la ruelle de la mère Kim, un chaton a couru vers moi. Le plateau dans une main, je me suis penchée pour tapoter le haut de son crâne. Il ronronnait fort, le nez vers mon poisson. Les yeux vitreux. La bestiole m'a suivie quelques mètres en miaulant.

Le portique était ouvert. Je me suis arrêtée. Deux lignes fines dans la neige traversaient la cour, avec des traces de pas. Elles partaient de la chambre de Kerrand, passaient devant la fontaine, le châtaignier, jusqu'au portique, et s'éloignaient.

Deux lignes. Et les traces de ses pas.

Je les ai regardées.

Avant de longer l'auvent jusqu'à sa chambre.

Les rideaux étaient tirés. La couverture, soigneusement pliée sur le lit. La pièce portait encore l'odeur de sa respiration. De l'encens. Dans le miroir, un faisceau de lumière, avec de la poussière. Elle partait du plafond, flottait puis se posait sur le bureau. Au ralenti.

Sur le bureau, son carnet de toile élimée.

J'ai posé le plateau sur le sol, me suis approchée de la fenêtre.

C'était étrange.

Je n'avais jamais remarqué qu'il y avait tant de poussière sur le rebord. Je me suis assise sur le lit. Doucement. Ne pas froisser les draps. J'ai écouté. Le bourdon dans mes oreilles. De plus en plus léger. La lumière s'est faite plus douce aussi, rendant les contours de la chambre moins nets. J'ai regardé le poisson. La tache d'encre au pied du lit. Elle s'effacerait avec le temps.

Alors j'ai pris le carnet, je l'ai ouvert.

Le héros rencontrait un oiseau. Un héron. Ils se tenaient sur un rivage et regardaient la mer, c'était l'hiver. Dans leur dos la montagne, sous une carapace de neige. Elle veillait. Les cases étaient vastes, éclatées. Il n'y avait pas de mots. L'oiseau semblait vieux, il n'avait qu'une seule patte et des plumes d'argent, il était beau. De son bec jaillissait de l'eau, un fleuve, ce fleuve nourrissait l'océan.

J'ai tourné les pages.

Sans âge ni visage, des personnages révélaient à leur passage, mais à peine, des couleurs, empreintes légères dans le sable mouillé. Des nuances de jaune et de bleu entremêlées au hasard comme le dessin d'une main qui découvre son pouvoir. Ils marchaient les uns derrière les autres dans le vent, sortaient lentement des cases car la mer s'étalait sur la plage, recouvrait la montagne, débordait dans le ciel sans autres contours, sans autre frontière que les bords du carnet. C'était un lieu sans en être un. De ces endroits qui prennent forme à l'instant où l'on y pense puis se dissolvent, un seuil, un passage, là où la neige en tombant rencontre l'écume et qu'une partie du flocon s'évapore quand l'autre rejoint la mer.

J'ai tourné les pages encore.

L'histoire se diluait. Elle s'est diluée comme une errance entre mes doigts, sous mon regard. L'oiseau avait fermé les yeux. Il n'y avait plus que du bleu sur le papier. Des pages d'encre azur. Et cet homme sur la mer, à tâtons dans l'hiver, se laissait glisser entre les vagues, et son sillage en filigrane faisait des formes de femme, une épaule, un ventre, un sein, le creux des reins, puis descendait pour n'être plus qu'un trait, un filet d'encre sur la cuisse, qui portait une longue, fine

cicatrice,

entaille de pinceau

sur l'écaille d'un poisson.

DU MÊME AUTEUR

Aux Éditions Zoé

HIVER À SOKCHO, 2016 (Folio n° 6512). Prix Robert Walser, prix Révélation SGDL, prix Régine Deforges, prix des Lecteurs de la librairie Esprit large (Guérande) et prix Alpha.

LES BILLES DU PACHINKO, 2018.

COLLECTION FOLIO

Composition Nord Compo
Impression Novoprint
à Barcelone, le 11 juillet 2018
Dépôt légal : juillet 2018
ISBN 978-2-07-277184-2./Imprimé en Espagne.